코로나 19시대

은퇴한 시골 노인의
겨울 이야기

코로나 19시대 은퇴한 시골 노인의 겨울 이야기

인 쇄 : 2021년 1월 5일 초판 1쇄
발 행 : 2021년 5월 10일 개정판 1쇄
지은이 : 오석원
펴낸이 : 오태영
출판사 : 진달래
신고 번호 : 제25100-2020-000085호
신고 일자 : 2020.10.29
주 소 : 서울시 구로구 부일로 985, 101호
전 화 : 02-2688-1561
이메일 : 5morning@naver.com
인쇄소 : TECH D & P(마포구)

값 : 11,000원
ISBN : 979 - 11 - 97292 - 43 - 9

코로나 19시대

은퇴한 시골 노인의
겨울 이야기

오석원 시집

진달래 출판사

시인에 대하여

시인 오석원은 1947년. 전남 강진에서 태어나. 전남 장흥중과 광주일고를 나온 뒤 전남대에서 수학하였고, 국세청 공무원으로 30년 넘게 봉직(奉職)하고 명예퇴직하여 20년이 넘는 세월을 **생거진천(生居鎭川)** 농다리 길에서 귀농 시인으로 살고 있다.

매일 두세 시간씩 맑고 깨끗한 공기를 마시며 걷기를 한 뒤 그날의 감상을 적고 있는데 한 마디 한 마디가 그대로 시다.

보고 느낀 그대로, 삶에서 길어 올린 따뜻한 사랑이 담긴 시어(詩語)와. 피아졸라의 망각(Oblivion)을 닮은 잔잔한 리듬이 독자의 마음을 깨끗하게 씻어 준다. 강요하지 않는 삶의 지혜와 연륜이 묻어나는 시인(詩人)의 목소리가 코로나 19로 힘든 오늘을 사는 우리에게 조용한 위로를 준다. -------오태영(작가)

차 례

들어가는 말

발버둥 치며 살다 보면
망가지고 찢기고 상처투성이로 남겨진 채,
가는 길에 고생깨나 하면서 떠나는
많은 사람을 보게 된다.

직장생활은 상하 관계며 동료 간의 부딪힘 속에
스스로 발전을 꾀하다 보면
많은 스트레스가 쌓일 수밖에 없고,

은퇴할 때쯤엔
고민할 만큼의 건강상태로
성인병을 품게 되는 주변 사람이 너무나 많다.

나 또한
정년을 몇 년 앞둔 시점에서
혈압 당뇨에 고지혈증으로
몸이 많이 망가진 모습은
환갑이라도 지내게 될 것인지?
걱정하는 순간에 이르게 된다.

우연한 기회에 진천 농다리 길 산속에
집을 마련해두고 있어서
명예퇴직으로 직장을 마감하고,
시골 생활을 시작하게 되었다.

집 뒤로 산이 연결되어 산을 타고
걷는 것으로 건강을 찾고자 했으며
먹을거리는 내 땅에서 직접 키워
스스로 해결하며 맑은 곳에서 살다 보니,
건강이 회복되어감을 느낄 수가 있었다.

농다리 둘레에 초평호수가 있고
금강으로 흘러가는 미호천이 이어진 곳에는
양천산 줄기의
은여울 산이 위치한다.

하루가 시작되면 특별한 볼일이 없으면
애견 율무와 의무적으로
수목원을 지나 오솔길을 오른다.

봉우리 2개를 넘어서 초평호를
바라보면서 되돌아 내려오면
2시간에 만 보 정도를 걷게 된다.

7~8km의 산오름을 날마다 하다 보니
건강이 크게 회복되고
마지막을 향해 가는 길목에서
치매를 차단하고자 일정을 글로 남기다 보니
이 책을 남기게 된다.

건강은 건강할 때 스스로 노력하면 지켜낼 수가
있다는 걸 내 몸이 증명한다.
60을 목표로 한 시골에서의 내 생활이
벌써 75살이다.

산에서 움직이며 날마다 걷는 모습,
건강을 지켜내는 은퇴자의 모습이
아닐까 생각한다.
움직이는 내 모습이 생활 시인의
영광을 나에게 선물한다.

많이 움직여야 100세를 보증한다.
은퇴 후 생활은 물 맑고 공기 좋은
시골 조용한 곳에서 자연과 함께…

2021년 5월

귀농 시인 오석원

Part 1

코로나 19에도

겨울은

오고 있어요

세종 충남대학교 병원

엄청난 현대식 병원이
준공되어 심장내과에 진료차
방문했다.

대전 선병원에서 시술한
병원 진료기록을 준비하고,
아침 일찍 세종병원에 도착
예약된 진료시간을 상당히
지나서야,

상담하며 진료를 예비한
각종 검사를 진행하고
씨티 촬영은 4일 후로 잡아두고
오늘을 마감했다.

가슴이 뻐근하고
찬 공기가 몸에 오는 느낌이
예사롭지 않아,
진료를 보게 되었다.

초현대식 대형 병원이
세종에 세워지고
처음 방문해보니,

대단한 수준의 좋은 병원이다.

코로나 예방차
입구에서 진입할 때부터,
철저하게 차단하는 모습이
과연 대단함을 느낀다.

수없이 많은 환자가
병원에 가면 눈에 띈다.

건강이 얼마나 중요한지는
병원 가보면 알게 된다.

감사하는 맘으로
건강함에 고마워해야 하고,
주위 환경을 두루 살피며
살기 좋은 세상이
이어가기를 기원한다.

구름이 잔뜩 낀 날씨다

차갑지는 않으나
햇빛이 없으니 은여울
오솔길 오름이
분위기가 별로다.

오늘은
내 몸을 살펴주려고
옆지기가 같이 움직이니
율무가 많이 바빠진다.

거리를 두고 걷다 보니
앞뒤를 살피며
선두주자 율무가 왔다 갔다
법석이다.

내 몸이 불편하니
옆에서 보는 사람도
같이 불편하게 되니,
자기관리에 최선을
다해야만 할 것 같다.

산 정상 주변에서
밝은 햇살을 맞으니

날씨처럼 내 기분도 살아난다.

대수롭지 않게 여기고
즐길 거 즐기고,
모일 거 모이며 젊음을
발산하는 젊은이들이
미증상 감염자로 코로나를
퍼뜨리니
젊음이 연결되는 곳
어디라도 조심해야만
나를 지킬듯하다.

은여울 오솔길에서
8,542보 6.14km 90여 분
걷고 나서….
약간 줄여서 진행했다.

의외로 포근한 날이다

2021년 대학 수학능력
시험이 치러지는 날이니
당연히 추울 거로 생각했다.

수능 시험 치는 날은,
추운 날로 인식된 지
오래되었으니 당연히
쌀쌀할 거라 해버린다.

전국의 재수생 재학생
49만 명이 성적순으로
줄서기 하는 시험날이다.

문과, 이과, 예체능으로
분야별로 수능에 응시하고,
수시, 정시 등으로 입학하는
요란한 대학시험이 가관이다.

우리 시절엔 초등학교 졸업하고
가고 싶은 중학교, 고등학교, 대학교를 선택하고,
학교의 자체 필기시험으로
입학절차를 마쳤는데

요즈음은
절차조차도 알기 힘들어,
손자 손녀들 대학시험이
과거시험보다도 어렵다고
야단들이다.

대학을 끝내고도
사회진출이 더 어려운 세상,
정말 어려운 시대인 거 같다.

쉽던 시절에 쉽게 살아온
할머니 할아버지가
부럽겠다고 생각해진다.

은여울 오솔길에서
맑은 숲 공기 들이켜며
따스한 햇볕으로 비타민
가득 싣고,
8,569보 6.13km 80분 후
집에 도착한다.

쌀쌀함이 날 움츠리게 한다

병원을 들락거리다 보니
여기저기 불편함이 나타나니
각오를 새롭게 하며
살펴야 할듯하다.

나이 들어가면서
기능이 퇴보되고,
몸속으로 쌓여가는
찌꺼기가 많아지니
젊은 시절의 몸가짐으로는
나를 지키기가 힘들 줄 안다.

수시로 점검하고
문제 있는 곳을 다듬을 때,
그나마 회복할 수 있다.

오늘은 율무와 하던 운동
은여울 산 오솔길 산행을,
단단히 몸단속하고
뚜벅뚜벅 오른다.

대설(大雪)이 코앞인데,
눈은 내리지 않고

코로나만 쏟아진다.

600고지를 넘어섰다고
서울에선 밤 9시 이후
전기가 꺼진다고 방송된다.

다음 주부터 21년 초까지
사회적 거리 두기가
연장된다니,
언제쯤 마음 놓을지
소상공인의 삶은 많이
망가질 듯하다.

3대 성인병 당뇨, 혈압, 고지혈증을
몽땅 품고 살다 보니,
일찌감치 시골 생활을 저질러서,
자연인 흉내를 풍기고 살지만

내 몸 여기저기가
많이 망가진 것이 감각적으로
많이 와 닿는다.

건강은 건강이 있을 때
온 힘을 다해야 한다.

산을 오르고

율무와 즐기고
흐린 날씨에 시작된 오늘
오르다 보니 맑은 날이 된다.

햇빛 쏘인 오솔길에서
혼자만의 속삭임으로
나를 짚어보고,
묵묵히 오른다.

힘을 실어서 다리를 띄운다.

정상을 넘어서
다음 정상까지 오늘은
더해본다.

맑고 깨끗한 산속
아무도 없는 곳,
율무와 나만의 동산이다.

낙엽이 펼쳐진 곳
그 옆에 나무를 기대고
조용히 쉬어본다.

대설(大雪)인데

눈은 보이지 않고
햇빛만 보인다.

계절 감각이 온몸에 닿지는
않지만
춥고 눈 내리고 가
반복되어야만 겨울인데?

메주 쑤느라 움직였더니
온몸이 뻐근하다.

아침 일찍 마당을 돌아보며
찌뿌듯한 온몸을 풀어본다.

삼발이에 재 묻은 흙을 옮겨
퇴비간에 옮겨주고,
곡괭이와 삽을 들고 노동력
잡일을 해낸 뒤라선가?

죽지도 허리도 가슴도
모두가 뻐근하다.

계속된 오솔길 걷는 일은

이젠 습관 된 일과라서
그렇게 힘들진 않다.

찌뿌듯한 날씨지만
가끔 햇빛도 나타난다.

구름 속이 답답하면,
둥근 해가 이따금
구름을 열어 재치고 나서는 것 같다.

나 혼자서 골똘히
이것저것 생각하면
머릿속이 복잡해진다.

쉽게 쉽게 머리를 비우고,
오늘 하루만 엮어야 한다.

생각이 없어야 하고
계산이 없어야 하고….
알기는 아는데도 실천이 어렵다.

여(與)와 야(野)가 아귀다툼하든지 말든지
사회적 거리 두기로 일정을 잡든지 말든지?
산길 외롭게 걷는
시골 노인 나에게는
관심 밖의 과정일 뿐이다.

맑디맑은 저 하늘 위로

비행기가 떠간다.
오송, 오창에서 생산되는
고급스러운 수출 물품을
가득 싣고 가는 거 같다.

조용한 은여울 산 산등성이에
요란한 비행기 소리….
살기 위한 우리의 몸부림이다.

수출만이 우리의 살길이었으니
경쟁해서 이겨내려
배우고 익혀서 단련한 결과물이
해외에서 경쟁하며
이겨냈으리라 생각한다.

갈색낙엽이 폭신한 언덕에
편한 모습으로 쉬면서 보니,
멀리 보이는 산등성이며
그 위의 파란 하늘이
한 폭의 산수화다.

앙상한 참나무 가지에
사이사이로 끼워둔 거만 같다.

자연을 느끼면서
긴 숨을 몰아쉬니
찬 기운이 들어온다.
가슴이 시원해진다.

인간극장 프로그램에서
치매 5기에서 진행되어가는
시골 노인을 그려간다.

서울에 집을 마련하고
아들딸들이 위 아래층에서
살도록 해두고선,

시골에서 동네 이장을 보며
부부가 손을 꼭 잡고 움직이며
다정스럽게 사는 모습 속에,
치매를 이겨내는 아름다움이
그려지고 있다.

가수 방주연이 임파선암을 자연 치유하고
러시아에서 자연치유로 의학박사
학위를 취득한 인간승리의 모습을
인간극장에서 애기한다.

사는 곳 현지에서 생산된 것
밟고 사는 내 땅에서 뽑은 거를

먹고사는 자연치유를 말한다.

자연에 스며들어 사는 길이
인간이 살아야 할 길임을
안내한다.

자연 속에서 사는 내가
바르게 산 거 같기도 하다.

외롭지만
자연 속의 삶을
그리워하는 노인네들이
많이 있을 거로 생각한다.

서울을 가야 하는 날

약속을 해뒀으나,
뉴스 시간에 코로나가
집중적으로 발생했다니
너무도 께름칙하다.

열차표를 반납하고
코로나 때문에
연기할 수밖에 없다니,
흔쾌히 이해해준다.

요즈음은 모든 일정이
코로나와 연계되고
최선을 다해 피해가야 한다.

면역력이 없는 나이이고
기저질환이 있다 보니
다른 사람보다 더더욱
신경 쓰며 살아야만
나를 유지할 수가 있다.

은여울 산 미호천 변 농다리
주변을 서성이며 움직이는
내 모습,

그날그날을 일기처럼
써가면서,

일정을 관리하는 습관이
몇 년 전부터 글로 써서
핸드폰에 저장했다.

언젠가는 살아가는 모습이
나의 역사로 남을 듯도 하고,
꺼내서 뒤돌아보면
아. 그랬었지
기억해낼 수도 있겠다 했는데
책을 내겠다고?

당황스럽지만 보관된
내 얘기를 남에게 읽혀주면
은퇴한 후의 노년 생활이
건강관리에 도움 될 듯도 하여
생각해보자고 운을 띄었다.

간추린 모습으로 정리되면
언젠가는 내가 쓴 글들이
책으로 편집될 거도 같다.

내 책을 낸다는 기쁨
두렵기도 걱정스럽기도 하며,

많은 생각이 머리를 지난다.

수필인지 일기장인지
시라고 해야 할지
생활 모습을 나타내며
공개하는 마음이 이상야릇
묘하기도 하다.

글 속에 등장하는 율무(律無)
오늘도 방한복으로 두르고
은여울 산 오솔길에
좋아라고 뛰고 있다.

늘 가는 그곳에
땀 흘리며 운동하며
개운한 마음 갖고
하늘 위를 응시한다.

자연은 역시
인간을 지배할만하다.

파란 하늘 앙상한 갈참나무 사이사이로
초록색 솔잎
묘하게 조화롭다.
즐거운 날이로다.

눈이 내린다

사는 곳엔 보이지 않는
하얀 눈이
수도권과 강원도 일원에
눈이 내린다는 기상예보다.

영상의 포근한 날씨가
은여울 오솔길에
잔뜩 흐린 하늘로 보여준다.

그렇게도 파랗던 하늘엔
하얀 구름이 잔뜩 낀 체
햇빛이라곤 모두 차단된다.

오늘은 유명인사로
대권 선호도 조사 1위로
국민 속에 떠오른 그분이
징계처분을 받을 거라는
바로 그날이다.

모든 방법을 동원해서
쥐고 있는 권력을 버텨보려
안간힘을 쓰고는 있지만,
추씨 성의 여성 장관에게

어쩔 수 없이 손들 거 같다.

욕심을 비우고
마음을 비우고
상대 맘에 내가 서서
역지사지(易地思之)의 심정으로
세상을 바라보았다면,
이렇게까지 험한 상태로
마감되진 않았을 텐데…?

너무 욕심부리고
자기들 세계만을 고집하다가
오늘에 이른 거 같다.

자기를 그 자리에 있게 한
그분의 마음은
얼마나 비참할까를
생각했더라면….

역사에 기록될 징계는
남지 않았을 텐데.

산과 들을 처다보며
세월 가는 데로 사는
시골 노인은
그저 바라만 보며 살뿐이다.

눈이 왔나 하고

바깥을 보니 마당이 촉촉하다.

비가 왔는지 눈이 왔는지
눈 녹은 자국이 촉촉하겠지
단정해버린다.

티브이 뉴스를 바라보며
징계처분이 나에게
무슨 의미가 스며들기에
관심 쓰고 지켜보는지….

잘난 사람들 키재기에
온 국민이 서성인다.

공수처법이 통과되었으니
안정되고 공평한 사회
모든 사람이 똑같이 취급받는
멋진 사회가 만들어지길 바란다.

은여울 산자락에 쌓인 낙엽이
촉촉하다.
분명히
어젯밤 눈이 왔던 거 같다.

미호천 강변에 둥근 해가
뿌옇다.

물안개 잔뜩 낀 강변,
백로의 움직이는 모습이
오리 떼와 무리 지었다.

맑고 깨끗한 산속
기후의 변화에 민감하게
반응하는 시골의 내 모습,

코로나 19도 자연재해로 느껴진다.

마스크 쓰고 공기 차단하며
험상궂은 분위기로
매일 매일 살다 보니 너무나 지겹다.

목 칭칭 감고 머리에
털모자 푹 눌러쓰고,
한겨울 추위 속 모습 같지만
목이 포근해야만 온몸이
안정되니 그 모습을 택한 거다.

볼 사람 없는 외딴곳에
내 맘대로 쉽게 산다.

황금 연못

토요일이면 황금 연못이란
시니어 토크쇼가 방송된다.

처음엔 대인원이 출연하더니
코로나로 대폭 줄여,
젊은 시절의 추억거리며
세상 살면서 부딪히는
자식들과의 모습,
노련하게 살고 온 옛이야기로
꽃을 피운다.

출연진들이 60대 후반에서
70대 초반으로 구성되며
내 또래는 이 프로에서도
드물게 눈에 띄는 걸 보게 된다.

확실하게 나이 들었음을
실감할 수밖에 없으니
세월을 탓해야 할지
방송국을 탓해야 할지?

제과점 추억이며 미니스커트
데이트며 엘피판에 얽힌

수많은 추억거리를
나도 들먹일 수 있는데….

맑은 토요일
미호천 상류에
외로워 보이는 백로 1마리
짝없이 늘 혼자만
움직인다.

잘나서 혼자인지
친구들에게서 따돌림
당한 것인지….
오리 떼와만 줄기를 이루니
흑인국가에 백인처럼
맥 못 쓰는 모습이다.

세상살이
인터넷으로 수없이 흐르는데
좋은 글, 이쁜 글, 아름다운 글 속에
세상사는 모든 것이
눈에 들어오는데….

백로 너는
인터넷을 모르니?
외롭게 혼자서 먹이 찾느라
미호천 강변을 서성이는 거로구나.

외롭게 시골 사는
나와 비슷한 거 같기도 하다.

정치인도 교수도 기업 CEO도
내 나이에선 모조리 사라졌다.

어느 순간 완전히 바뀐
세상 주변을 살펴보니,
스스로만 늙은 줄 모르는
철없는 나였구나….

너는 이미 옛날 사람이야.

혼자서 중얼거리며,
은여울 늘 가는 오솔길에
다리 · 허리 운동하며
뚜벅뚜벅 걷다 보니,
맑고 깨끗한 공기가
가슴속으로 스며든다.

나무 낙엽 하늘 구름이
밝고 따뜻한 해와 함께
너는 늘 같이하는 거다.

어쩔 수 없는 시골 생활
부러워하는 친구도 있다는구나.

첫눈 내린 날 ─ 하얀 세상

온 세상이 하얗다.

올해 들어 처음 온 눈
첫눈이 포근하게 내린다.

아침 일찍 시작된 눈 내림이,
마음 설레게 하더니만
10시경에 멈춰선다.

자연의 아름다움은,
인간에게 동물에게
말 없는 식물에도
모두가 좋은가보다.

소나무, 잣나무, 억새, 어디에나,
눈꽃 핀 아름다움에
내 눈을 멈출 수가 없다.

너무나 아름답다.

뽀드득뽀드득
발바닥에서 들려오는
눈과 악수하는 그 소리,

쿠션까지 느끼면서
조심스레 걷고 있다.

함박눈이 멈추더니
싸락눈으로 바뀌면서
맨살에 부딪히니
따끔따끔 굴러가는 듯,
눈 자국이 흘러내린다.

눈 속으로 달리면서
목마르면 눈 먹어대는 율무,
너에게 오늘은 물 먹일 일
없겠구나.

바람 한 점 불지 않고
하얀 눈이 수북한 산,
나무줄기 나뭇잎 풀숲 어디에도
눈이 쌓인 아름다운 모습,
햇빛이 나타나면 순식간에
없어지리라.

그 눈을 만끽하고
기분 좋은 오늘을 나는 보낸다.

집 가까이 산이 있어
자연 속을 걷는구나.

눈 밟히는 소리

싸그락 눈 밟히는
소리가,
은여울 산 오솔길 대부분의
지점에서 내 귀로 와 닿는다.

눈 내린 뒤, 찬 기운은,
영하 10도보다 더 차갑게
체감하는 온도이다.

파란색 하늘은,
푸르름의 정점에서
구름 한 점 보이지 않는다.

태평양 바다에서나
볼 수 있는 진한 청색으로
내 가슴이 그냥 뻥 뚫린다.

산자락 대부분은
하얀 눈으로 덮여있고,
먹이 찾아 움직인 동물 발자국이
눈 쌓인 곳 그 위로
줄을 지어 표시된다.

눈이 내린 후
먹이 찾는 산짐승의 모습,
상상이 간다.
많이 안타깝게 와 닿는다.

등산용 지팡이로
보통 때와 다르게 몸가짐을
가졌지만,
얼어붙은 눈길이 이따금
빙판이니 몹시 조심스럽다.

맑은 공기 속에
차가움을 이겨내며
은여울 오솔길 다녀오니
해냈다는 만족감이 더없이
기쁘다.

고드름 주렁주렁

영하로 곤두박질한
추운 날이,
매일매일 계속된다.

바깥기온이 차가우니
호주머니에 자꾸만 손이
꼽힌다.

걷는 곳 땅바닥엔 눈이 보이고
꽁꽁 얼어붙은 눈 위로
미끈미끈한 빙판이다.
넘어지면 큰일이다.

진료 예약된 세종의 충남대 병원에서
검사된 여러 부분을 내 눈으로
살펴보며 좋은 세상에
살고 있음을 크게 느낀다.

진료 마치고 집주변에
거의 다 왔는데,
눈 오면 사고가 자주 나는 곳
딱 그 지점에
전봇대와 부딪힌 듯,

소형 승용차가
한쪽 길을 막고 있다.
차가 박살 나 있다.

안타까운 모습이지만,
차 사고는 순간적이다.

높은 지붕에선
녹은 눈이 흐르면서
주렁주렁 고드름이 걸린다.

처마 밑에 꽃나무 줄기에도
고드름이 가관이다.

입원하기 위해서는
코로나 검사가 필수적이다.

검사까지 진행한 후
입원 날짜를 잡았더니,
오늘 운동은 쉬고 싶다.

저녁 먹고
축사 주변이나 슬슬….
율무야!!
오늘은 너도 쉬는 날이다.

강에 얼음덩이가

미호천 강줄기에
얼음이 떠 있다.
춥긴 추운가보다.

햇빛이 뜸하고 산줄기에
가려진 부분,
흐르는 물은 보이지 않고
스케이트 탈 수 있도록
얼음이 보인다.

하루 쉰 은여울 산 오솔길,
빙판이 두렵지만,
조심스럽게 걷는다.

등산지팡이에 힘을 준다.

뚜벅거리며 힘쓰는
조심스러운 내 모습이,
율무 너에겐 어색한 듯
네발짐승 네 녀석은
신나게 달리는구나.
산기슭 비탈까지.

무소불위의 막강한 힘
끝도 없이 힘을 누리던 조직,
공평 사회로의 부활을 위해
몸부림치는 모습이다.

너나없이 대접받는 사회,
재물의 있고 없고
직위의 높고 낮고
권력의 있고 없음에 차별받지 않는 사회,
공평 사회가 아닌가 싶다.

차가운 공기 속에
맑은 하늘 쳐다보며,
피톤치드 쏟아지는 산
눈 밟으며 걷는 오늘이다.

어찌 되든 난 걸어야 한다.

병원은 다녀야 하고,
준비된 예방만이 쉽게 쉽게
사는 길이다.

노인답게
최선을 다해가며 오늘에
충실할 뿐이다.

두툼한 얼음덩이

어제의 얼음덩이
둥그렇게 더 늘어났다.

스케이트 준비되면
얼음 위로 덤벼도 무너지진 않겠다.

두툼한 얼음덩이가
겨울 추위를 말한다.

여기저기 빙판이다.
미끄러지지 않으려고
조심스레 산을 오른다.

오솔길 하얀 눈이 딱딱한 채 굳어가며
양지바른 곳만 눈이 녹았다.

병원 일정이 내일이니
오늘은 특히 조심스럽다.

뽀송 거리는 눈 위로
스틱에 의지한 체 율무와 움직인다.

1000명이 넘어선 코로나 19

도대체 언제쯤 마음 놓고 움직일지?

사회적 거리 두기 3단계를
예고한다.

영세업종은 대부분이
문을 닫아야 하고
모든 학생은 집에서
비대면 수업으로 갈 거 같다.

수도권은 사람 속에서
허덕이니,
시골에 자리한 내가
한결 더 살기 좋은 모습이니

부러움 속의 내가
으쓱으쓱….
시골도 방콕에
이웃마저 멀리하며
뉴스만 보고 지낸다오.

눈 덮인 산속 집이 너무도 아름답다.
크리스마스이브엔
이곳에서 지내고 싶다.
녹지 말고 그날까지 하얗게 버텨라.

자연 속에서의 삶

들과 산과 강을 보며
걷고 오르고 수없이 움직이며
건강을 지켜간다.

기억을 되살리고
살아온 그날그날을 써 내려가며
사회의 이모저모를 살펴본다.

일하다 쉬는 사이 밭둑에서,
산속을 걷다 쉬는 곳 바위에서,
강가를 거닐며 율무 기다리며
잠깐 잠깐씩,
내 모습을 적어놓는다.

희망 사항도 있고
살짝살짝 비평도 곁들이며
내 마음을 옮겨간다.

은퇴한 후
생활 터전을 시골로 옮기면서
수없이 시행착오도 받아보며,
먹거리생산 가축사육 등
자연인(自然人)이 산속에서 살듯이

흉내 내며 살아온 지 20여 년이 지난다.

가물거리던 건강은
거의 정상으로 돌아서며
100세 시대에 적응하며 살아간다.

모인 기록물을 책으로 엮어내니
내가 글 쓰는 사람
흔히 말하는 작가(作家)로 떠오른다.

수필, 시, 산문,
뭐라고 불릴는지…?
신변잡기(身邊雜記)로 기록한 글이니
많이 어색하다.

미사여구를 사용하며
아름답도록 억지 쓰진
않았다고 자부한다.

쉬운 말, 흔히 쓰는 말로
내 역사를 기록했다.

떠오르는 옛날 글이
새롭게 와 닿는다.

안부 묻는 자연(自然)

어제 내린 눈이
꽁꽁 언 미호천 상류
강바닥에 쌓여있다.

얼음 위의 눈이라서
빙판이 하얗다.

대학병원에서의 하루,
여기저기 뒤적거리고
아프다는 곳 진찰하고 종일 시달렸다.

멀쩡한 사람도 병원에 들어서면
그냥 아픈 사람으로 둔갑한다.

수액을 꽂아 걸고
주렁주렁 약 꽂으며
엉거주춤한 환자복에
어제 하루 내 모습이다.

입원하고 병원식 식사하고
조형제 투입하며
스텐트 시술코자 살폈더니
건강한 모습이라고,

약으로 대체하자는 교수님 의견이다.

그렇게 움직이며
쉬지 않고 은여울 산
찾았더니,
내 몸이 거의 완벽이란다.

기분이 상쾌하다.

오늘도 은여울 산 올라서니
어제 내린 하얀 눈이
시원함을 전해온다.

콧속이 시큰하고
손가락도 아주 아주 차갑다.

건강을 지켜야 하니
쉴 수는 없다.

파란 하늘 앙상한 참나무
검푸른 소나무가,
나에게 다가선다.

건강히 지내십시오
안부 묻는 그 모습에
혼자서 피식거린다.

배짱 튀는 코로나 백신

4일째 1000명이 넘는
코로나 확진자 발생이다.

사회적 거리 두기며,
백신 접종에 정부의 고민이
많아 보인다.

백신 제약회사는
일방적인 거래조건으로
배짱을 튕기는 모양이다.

계약 시 선금을 요구하고
거래가 중지되어도
선금은 반환하지 않을 것을 주장 할뿐더러,
백신 접종으로 발생할 수 있는
부작용도 일체 책임지지
않는다는 등….

일반적인 상거래와는
전혀 다른 모습이리고
국무총리가 대담한다.

짧은 기간에 생산된 백신이

접종 뒤 어떤 결과로 나타날지는
고민하지 않을 수 없으니,
계약을 망설이는 것 같다.

온 국민이
접종이 다소 늦더라도
검증절차가 확실할 때에
투약함이 정답일듯하다.

사람이 움직이는 곳
그곳이 어디라도 무증상
코로나가 전파되고 만다.
동부구치소의 대량감염이
큰 충격으로 다가선다.

율무와 은여울 산
손가락 호호 불며 조심스레
걷고 있다.
어제부터 율무가 걷는 길을
자꾸 이탈한다.

간섭하지 않고
나는 나대로,
종점으로 걷다 보면
헐레벌떡 나타난다.
미안해하는 모습으로

꼬리 치며 아양 떤다.

율무야!
네 일은 네가 알아서 하는 거다.
그냥 팽개치고 나는
나 혼자
움직인다.

알아들었지?

맑고 깨끗한 하늘
쭉쭉 뻗은 나무줄기
나를 반기는 것 같다.
하얀 눈은 녹을 생각이
전혀 없다.

뽀드득 소리 내며
오늘 일정을 소화한다.
8,560보 5.92km 쉬엄쉬엄
다녀온다.

길고 긴 밤 동지(冬至)

동지가 오늘이다.

연중 밤이 가장 길다는 동지
팥 삶아서 찹쌀 새알심 한 그릇 마셔야만
동지를 보낸 거 같다.

새벽 일찍 방앗간에 들러
물에 담가둔 찹쌀을 가루로 찧어온다.

곧바로 새알심 만들어서
삶은 팥을 으깨서,
동짓죽을 만드는 집사람,
정성도 가득하다.

나잇살 많아지며 노인 됨이
서운한데….
기어이 먹어야만 한 살을
채운다니….

24절기 중 22절기
올해에 시작된 소한부터는
동지가 올해의 마지막 절기다.

며칠 지나면
2021 새해가 시작된다.

코로나로 얼룩진 한해
새해엔 제발 좀 코로나가
걷혀주길 희망한다.

수도권에 사회적 거리 두기
3단계가 시행된다니,
서울 주변 어디에도
사람 살기가 불편할 거 같다.

사람이 눈에 띄지 않는
내가 사는 곳 진천 산골은
사회적 거리 두기란 용어가
아예 어설프다.

집 나서며 마스크만
착용하면 전혀 걱정이 없다.
동짓죽 배달차
오후엔 손자들 사는 곳에 나들이
나서는 일정이다.

은여울 산 오솔길이 너무나 포근하다.
눈길에 조심조심 하얀 눈
밟는 소리만 뽀드득뽀드득,

오랜만에 본다

긴긴밤 동지를 넘기고
아침 일찍 해 뜨는 모습
일출(日出)을 바라본다.

깨끗한 하루는
해 뜰 때 바로 느낀다.

구름 한 점 없는 깨끗한 하늘
날씨까지 포근하다.

늘 오르는 산
은여울 산에 이르니
바람 한 점 불지 않는 조용한 오솔길에
녹지 않은 눈 자국이
밟혀대서 번질댄다.

스틱에 의지하며,
정신 차리고 걷고 있다.

겨울 먹거리가 귀했던지
산자락 길가에
고라니가 움직인다.

차들이 달려가니
논두렁에 들어서서
어정어정 피해간다.

배고픔에 시달리는
동물 가족의 겨울 삶이
안타깝게 다가온다.

끼니 맞춰 식사하고
시간 맞춰 산에 가고
율무, 너는 행복한 거다.

세상에서 너만큼 복 터진
동물은 아마도 귀할 거다.

매일매일 하는 운동
오늘도 그 코스지만,
아주 퍽퍽하다.

힘찬 모습의 동행 견(犬)은
여전히 날쌔게 움직인다.

너 따라서
나도 움직인다.
고맙구나! 율무야♡

도전 꿈의 무대

예나 없이 산행을 위해
미호천 상류에 주차한다.

꽁꽁 얼었던 강 위의
얼음판이 녹아내려 흐르는
물줄기로 변해있다.

날씨가 풀리니
얼음도 풀리고,
은여울 오솔길 눈 자국도
대부분이 녹아내려,
오르막길에 위험스러움도
말끔히 씻겨졌다.

아침마당,
도전 꿈의 무대에
특별한 출연자들이 나타나서
과거를 들먹이며
현재의 본인을 알린다.

이용식 황기순 김학래 김혜영
이호섭 등 출연진들의
어려웠던

과거사가 울컥울컥 마음
한구석을 잡아간다.

어려움을 딛고 일어선
과거의 모습은,
강물이 얼음을 녹이며 흐르듯 한
현재의 모습까지,
수없이 많은 인생역정이
있었음을 보았다.

세상을 살아가며
성장기의 어려운 시절
결혼 후 신혼의 힘든 시절
자식들의 학창시절 등
쉽게 쉽게 보낸 사람이
우리 주변에 과연 얼마나
있을까 싶다.

준비하고 노력하고
끊임없이 도전하며
세상과 마주치는 모습을
도전 꿈의 무대에서 찾아본다.

건강한 하루하루를
은여울 산에서 만끽하며
시원함을 내뱉는 시간

가장 행복한 순간이다.
내리쬐는 햇살이 너무도
아름답다.

스키장, 해맞이 명소 등
관광 및 숙박업계의 아우성 속에
올해의 보신각 종소리도,
뉴스에서 사라질 듯하다.

내가 조심하고
주변도 조심시키고
시골이지만 이곳도 안심할 수 없다.

10명의 코로나 확진자
동선이 안내된다.

테스형!
세상이 왜 이래!

편안한 죽음(Well　Dying)

사회복지학 저명교수가
아침마당에서 제시한다.

편안한 죽음은 삶의 연속이다.

어떻게 세상을 마무리할 건지
죽음에 대한 공포에서
삶을 마무리하기 위해선,
관계회복, 재산정리, 장례 모습 등
전문가로서의 여러 모습,
삶을 완성하는 아름다운
이야기를 나눈다.

언제 어디서 어떻게
죽음을 정할 수 있나?

20~30년 후 집에서
후회스럽지 않게 말한다.

많이 공감 가는 아침마당이다.

내가 노인의 입장에
벌써 들어섰구나, 싶다.

징글벨 울리고
하얀 눈이 날리는 멋진 날,
크리스마스이브가
오늘이다.

상상 속의 멋진 풍경을
생각해보는데
코로나 방역의 3단계
거리 두기가
하필 오늘부터 시행된다.

어둡고 답답한 체
마음만 즐거운 방콕일 거 같다.

산이 바람을 부르고
물이 흐르며 맑음을 전하고
푸른 송림이 맑은 공기
산소를 전해온다.

짙푸른 하늘엔 시뻘건 햇살,
나만을 위하진 않겠지만
따스한 오늘로 온기를 담아준다.

은여울 오솔길
네가 있어 내가 좋고

크리스마스

12월 25일은 많은 나라에서
쉬는 날로 알고 있다.

금요일이니 토 일요일과
3일간의 연휴가 시작된다.

작년 이맘때쯤엔
공항을 통해 해외로
수없이 움직였을 텐데….

코로나 사회적 거리 두기
3단계까지 진행되는 캄캄한 올해는,
방안에서 조용히 숨만 쉬고
지내야만 한다.

가족끼리도 인원이 제한되고
5인 이상은 이동이 금지되며
위반 시엔 벌과금까지
집행하겠다니?

나를 위해 조심하고
주변을 위해 살피며
코로나 네가

지구를 떠나기만 기다릴 뿐이다.

성당에 나들이 없이
올해의 크리스마스를 조용히 넘긴다.

얼음이 녹아내린 미호천
강변에
오리 떼가 가득 모였고
하얀색 백로는 여전히 한 마리다.

외롭게 먹이 찾지만,
하늘에서 날쌔게 날아온
독수리,
오리를 향해 잽싸게 공격한다.

만족스러운 크리스마스,
나만의 즐거움이 온몸에
스며온다.

알지 못한 겨울새가
울어대는 산정상에,
두리번거리며 새를 찾는다.

새야 정체를 밝혀라.
소리만 내지 말고.

코로나 확진 환자

동선이 떠오른다.

진천 내가 사는 곳 주변에
20명이 확진되는 부담스러운 메시지다.

동부구치소가 200명 넘게
진천의 정신병원이 20명
보통 일이 아니란 걸
새삼 느낀다.

공기로 옮긴다면
위험지역에 내가 산다.
비말이나,
접촉에 의한 전염이라니 다행스럽다.

고춧대와 대추 소금을 끓여 마시면,
코로나 치료 예방에 좋다는
메시지가 인터넷에 퍼진다.

고춧대를 구하느라
전화 받기가 바쁘고,
태우지 않은 고춧대가
많은 분에게 도움 되는 듯….

고춧대가 약초로 쓰일 줄
어느 누가 상상이나 했겠나?

끓여서 마시고 있으니
내 몸은 코로나와
멀어질 것인지….

시니어 토크쇼 황금 연못
살아오면서 기억에 남는
가장 귀한 선물이 무엇이었을까?

주제에 맞춰
내 인생에 큰 선물은?

조용히 생각해본다.
눈에 보이지 않는 큰 선물이 나에겐 있었다.

끼니가 어려운 형편에
초등학교를 마치고는,
사는 것이 먼저였다.

지게를 지고 일터로 나가
나무를 해야 하고,
빵 굽는 어머님 곁에서
시중을 들며 살아야 했다.

시험이나 봐야 한다는
담임선생님 말씀 따라
중학교에 납부금 없이 진학하게 되었으니,
선생님이 나에게 중학교 선물을
주신 거고,

중학교를 어렵게 마치고
고등학교를 광주로 가면서
처음 집을 떠나게 된다.

인솔 교사의 안내로
시골뜨기가 광주에 내리니
번쩍거리는 전깃불에 가슴 뛰던 나였으니
합격은 하였으나,
시골뜨기 고교생에
가정교사 일자리는 구할 길이 없었다.

먹고 자고 입을 옷 마련할 길이 없었다.
의식주가 문제였다.

자취하는 친구 집에 들러
고민하던 나에게,
♡♡시설에
중고생이 농구 경기를 하는 모습이
눈에 퍼뜩 잡힌다.

광주시청에 시장을 면담코자
시장 비서실에 달려간다.

비서 여직원에게 시장 면담을 신청하니
부시장실로 안내한다.

그 여비서 누나가 나에겐
엄청난 선물을 주신 거다.

그 후생시설 ♡♡원에서 고등학교에 다녔다.

아침방송 황금 연못을 보면서
오늘의 내 인생에,
가장 큰 선물은 그 여비서 누나가 제공했는데….

이런 생각을 오늘에야 하게 되니
찾아낼 수도 없고 아주 아쉽다.

은여울 산 쉼터에서
64년 3월 초 고등학교
신입생 시절의 나를 떠올리며,
혼자서 생각에 젖는다.

고마움을 표시한다.

누나, 고맙습니다.

4권의 시집

은퇴한 노인으로
시골에 자리 잡은 지 20여 년

움직이는 하나하나를
자연 속으로 옮겨가며
산, 들, 강을 돌아본다.

나무, 풀, 꽃을 동무 삼고
가는 기억 되살리려
자신을 기록한다.

몇 년을 적어온 내 생활 중
코로나 시대의 1년을
계절별로 묶어서 4권의
내 역사를 시집으로,

많이 어색한 생활시인,
농다리 시인 오석원이라니
부끄럽습니다.

농다리

진천하면 떠오르는 곳
생거진천과 농다리다.

삼국시대 김유신 장군의
출생지이기도 한 곳,
독립투사 이상설 선생님의 고향이며
수도권 안성과 맞닿은 곳이 진천이다.

97년에 자리 잡았으니
제2의 고향이 되었고
주변 산천이 거의 내 눈 속에 새겨졌다.

농다리 천년 된 돌다리 건너서
농다리로에 기거하며
농다리로 토지에서
농사지으며 살다보니
농다리 시인이란 호칭까지 접수한다.

옛 지명이 상산인 진천에
난생처음 친구 찾아 나섰다가
사는 곳이 이곳이 될 줄을 꿈에도 몰랐다.

60이 목표이던,

망가진 내 몸을 다시 잡고
건강한 나날을
진천 농다리 길에서 여유 있게 살다 보니,
코로나 시대의 나는
휴양지에서 사는 셈이다.

차가운 날씨가
다시 시작되는 듯,
미호천변에 얼음 둘레가
넓어지기 시작한다.

오솔길에 낙엽
앙상한 갈참나무
푸르름을 안겨주는 송림
어느 것 하나도
날 반기지 않을 리 없다.

땅을 밟은 오늘도 내 건강을 찾아가니,
만보코스 은여울산
너는 나에게 꼭 필요한 친구
영원한 내 벗이다.

책까지 출간했으니
은여울 미호천 농다리여!!
날
오래도록 친구로 지내거라.

숨 막히게 돌아간다

2020년 마지막 주 월요일이다.

온 세상을 들쑤신 코로나가
올해를 마무리해가는
마지막 주일에도 숨 막히게 돌아간다.

연말 연시가 적막강산이고
화려한 금수강산이 인적없는 세상,
캄캄한 밤중 풍경이다.

어두운 밤중에는
별빛 달빛 바라보며,
이쁜 상상도하고
와 닿지 않는 소원도
지성스럽게 기도라도 하는데….

요즘 돌아가는 낌새는
코로나 방역도
나라 살림도
개인 살림도
모든 것이 어둡기만 하다.

서로 잘났다고 정치판만

요란스러우니,
정치인들 모습만 봐도
역겨움에 토할 지경이다.

자연을 상대로 하는 티브이 프로
자연인
바다낚시
시골 모습의 이모저모
동네 한 바퀴를 돌고 돌아
한국인의 밥상 보며
방에만 있는 모양새다.

일 년을 돌아보니,
자연 속에서의 내 삶은
그나마 보람이 있었던 듯
"은퇴 노인의 삶"을
활자로 남겨놓게 되었다.

오늘도 움직인다.
운동이지만 산책하는 기분,
산 오르막 시작지점에
율무 주인에게 안내하는
경고문이 눈에 들어온다.

엄청 조심하며
신경 쓰며 움직였는데….

너무도 미안합니다.
죽을죄를 지었습니다.

자연에 사과하고
등산하는 주변인에게 엎드려 비옵니다.
율무 便은 철저히 제거하겠습니다.

경고문이
머릿속을 채운다.
죄짓고는 살 수 없는 세상
자연은 나만의 것이 아니다.

조심하거라 살피면서
문백 쪽 농다리로 쉬지 않고 걷는다.

하늘 다리 출렁임에 내 몸도 올려보고,
해넘이 밝은 모습을 호수에도 실어본다.

초롱길을 이어서
야외음악당, 성황당, 모두 다 밟아보며

미르길 미르숲을 헤쳐가며
1000년 된
농다리를 사진 속에 담는다.

안개 낀 미호천 강변

안개 낀 장충단 공원
어린 시절 즐겨 부르던
배호의 명곡이다.

아침에 눈 떠보니
뿌옇게 끼어있던 짙은 안개가,
은여울산 입구
미호천 강변에 흐르는
물줄기를 덮어간다.

배호의 노래가 연상되는
미호천 강변이
오늘의 풍경이다.

중천에 떠오른 붉은 해가
달빛 모양으로 뿌옇게 떠 있고,
은여울산 오르막길 남짓 사이로
안개가 흘러간다.

중턱 넘어 올라서니
햇빛에 밀려난 안개는
서서히 사라지고,
맑고 밝은 하늘이 눈에 들어온다.

포근한 날씨 속에
오후부턴 눈이 내린다니,
하얀 눈이 수북이 쌓일 거만 같다.

기상예보가 맞을듯싶다.

어제는
동네 부녀회의
나물 캐는 아낙 속에
조용히 끼어든 마나님,
한 바구니 가득 캐온 냉이로
봄나물을 묻혀온다.

잘근잘근….
봄을 씹는 내 입속에
냉이 뿌리가 잡힌다.

깊이깊이 땅속을 파고든
한뼘크기의 냉이뿌리가
노인네 이빨과 맞결투를 한다.

봄의 맛이 깊어 온다.
향기가 몸에 온다.
세월보다 먼저 온 냉이
네 모습이 장하구나.

하얀 산길에서

엄동설한
춥고 추운 겨울 날씨다.

영하 10도를 넘어서니
체감하는 오늘은
중강진 날씨쯤 되는가싶다.

하얀색으로
산길이 덮였으나,
송림이 우거진곳엔
나무가 막아준듯 말끔한
땅 모습이다.

어젯밤에 내린 눈모습이다.

부모 잘만난 부잣집자식,
소나무밑에 땅 모습처럼
세상 물정 모른 체,
쉽게 쉽게 사는 것과 흡사해 보인다.

섣달그믐이 오늘이고
내일이면 올해를 마감한다.

눈이 오나 비가 오나
사시사철 거의 매일,
산과 함께 들과 함께
초평호주변 농다리길,
은여울산에서
세월 낚는 사나이가 바로 나였다.

오늘도
빠짐없이 은여울산 올라서니
바람 속에 산등성이는
콧잔등을 칼로 베듯
너무너무 차갑다.

목표지점 눈앞에 두고
그냥
뒤돌아 내려서고 만다.
너무나도 차가워서
코스를 줄여야만…. 했다.

눈만 밟으며
콧잔등을
눈 속에 들이박는 율무,
추위와 무관한 녀석이구나.

눈 속을 쏜살같이 뛰는 네 모습,
너무 부럽다 율무야!

한해를 돌아보며

2020년 12월 31일
오늘 하루면
해(年)
달(月)
날(日)을 모두 넘긴다.

올해 한해는
코로나 19의 회오리 속에
춤추는 부동산 광풍
적폐청산 개혁에,
꼬리 무는 수많은 부딪힘이
온 국민을,
인상 쓰게 하는 한해였다.

새로이 시작되는
신축년 내일부터는
희망 섞인 좋은 일만
따뜻한 봄날의 무지개처럼
아롱거리기를 ...

너와 내가 만나고 얘기하며
정담을 나누는 세상,
아무 곳에나 부담 없이

여행하는 행복이,
찾아들었으면 해본다.

영하 20도를 넘나드는
체감 온도 속에도,
단단한 차림새로
은여울 오솔길을 조용히.
걷는다.

쉬지 않고
자신을 움직여야
네 몸이 유지되니 게으를 수가 없다.

습관적으로
움직일 수밖에 없다.

미호천 변이 꽁꽁 얼어
스케이트도 탈성싶다.
얼어붙은 얼음만큼 날씨 또한
매우 차다.

허덕이며 걷는 산길
뿌연 입김 속으로
내 건강이 지켜진다.
가슴속을 뽑아내니 숨결도
한결 쉽다.

Part 2

코로나 19에도

추위는

여전합니다

신축년(辛丑年) 새해 첫날

2021년 새해 첫날
산 너머 동쪽 하늘에 해가 떠오른다.

일출 모습을 보기 위해
눈 내린 마당 건너에 내 눈이 멈춘다.

다복한 가정으로
건강한 한해를 기원하며
한 해를 시작하자.

초겨울 된서리처럼
살포시 내린 눈,
정원수 위로 눈꽃을 피우고
아무도 밟지 않은 논두렁 밭두렁에
하얀 아름다움이 들어온다.

미호천 강변에 꽁꽁 언 얼음판,
그 위로 하얗게 눈이 내렸고
하얀 눈 아래로
초록색 파란 물이 조용히
흘러내린다.

막히면 넘어서 가고

뚫리면 밀고 가고
아래로 아래로 큰 바다를 향해
물은 흐른다.
자연은 흐른다.

어제 왔던 산에 오늘도 왔다.
은여울산 오솔길 따라
아무도 걷지 않은 눈 내린 산에
발자국 남기면서
율무와 난 조용히 걷는다.

함박눈 날리는 숲속
맑은 공기 속에 네 모습이
많이 멋있어 보이는구나.

운동은 쉬지 말고
욕심은 비우고
마음은 넓게 펴며
새해를 살피거라.
네 나이가 벌써 75다.

온 세상이 하얗다

눈에 보이는 모든 것이
눈에 덮여있다.

살짝이 덮은 하얀 눈이
빤짝이기도 한다.

다이아몬드 광채처럼
햇빛에 부딪히는 모습이
아름다움을 보여준다.

미세먼지를 머금은 채
공기를 쓸어낸 듯
파란 하늘이 시야를 넓히는
너무 좋은 날씨다.

쌀쌀한 겨울이니
영하 10도 정도는 추위로
와 닿지 않는다.

개운한 바깥공기 쏘이며
은여울 오솔길을 힘차게 오른다.

눈꽃으로 덮여있는 나무 위의

아름다움,
걷는 나를 멈추게 한다.

얼어붙은 눈꽃 송이
딱딱한 채 꽃 되었으니
쬐는 햇볕만이 꽃 모습을
지울 것 같다.

어제 내린 눈송이가 오솔길
흙을 모두 덮었으니,

발자국 만들어가는
오늘의 네 모습이,
자연인 모습이나 똑같겠다.

맑은 공기 들이켜며
더운 김을 뿜어낸다.
뱃속까지 시원함은
운동하는 나만의 행복이다.

트로트 명곡에 귀 기울이며
뽀드득뽀드득 소리 내며
내려선다.
넌 오늘도 어제처럼 산에서
운동해낸 진짜 멋쟁이다.

얼어붙은 강변

차가움이 몸에 오니
모든 일이 멈추고 싶다.

산에 가야 나를 찾는데
게을러서 쉬고 싶다.

참아내며 운동 나서게 됨은
율무의 보챔이 한몫한다.

꽁꽁 얼어붙은 강변을 보며
콧속으로 스며드는
맑은 공기를 받아낸다.

은여울산으로 올라서니
등 쪽으로 따뜻한 빛이
내 몸에 온기를 전해오지만,
손가락 마디마디엔
베일 듯이 찬 기운이다.

두툼한 장갑으로
손마디를 보호하며,
고개 숙여 날 반기는
나뭇가지와 속삭인다.

눈꽃이 없어져서 미안하다며
겸연쩍어하는구나.

다음 주에 눈꽃이 핀다며,
쉬지 말고 만나자 한다.

영하의 날씨는 맑음이고
공기 중에 미세먼지는
맑음 속으로 숨어드는 오늘,

추운 날씨가
날,
빨리 걸으라 재촉한다.

양지바른 남쪽 등성이를 쉽게
넘어서니,

북쪽으로 경사진 곳
하얀 눈길이 조심스럽다.

엉거주춤 조심하며
만보코스에 도착하니,

솔숲에 양지바른 쉼터가
오래간만이라 손 내민다.
코로나 악수로 내 등을 기대준다.

세상에 태어나서

인간이 인간 노릇을 한다면
부모로부터 받아온 핏줄,
다음 세대로 이어주어야만
인류가 존재하리다.

대한의 인구가 5천 1백만
작년에 출생아가 27만
작년에 가신 분이 30만을 찍었다니,
우리의 인구가 줄어들기
시작한다는 통계가 발표된다.

내 집 없어 난리 통에
전세살이가 일반화되면서
소형주택이 인기를 끌더니
혼자 사는 세대가 자그마치
900만 명이라니?

독신을 고집하거나
짝을 떠나보낸 홀몸노인이
싱글 세대를 구성하리리.

언젠가는 산아제한으로
인구를 억제하려 세금까지 혜택 주더니,

요즘은 셋째를 출산하면
5,000만 원까지 보조해준다는
지자체까지 등장한다.

많이 배우고
똑똑하다는 젊은이들이
혼자서 부담 없이 사는 세상,
나만 살다 떠나면 그만이다.
후손은 내 알 바 아니다는….

부모들 간섭을 배척하는
젊은 세대의 비뚤어진 맘,
그 맘을 이해는 하면서도
인간 본연의 세상살이는
아니지 않나 생각해본다.

2021년 시무식에 참석하려
직장인들이 일터에 모이는
첫 출근날이
오늘이다.

코로나로 힘든 세상
언제쯤 평상시의 그 날로
부담 없이 나타날 것인지?

소한(小寒) 추위

춥다 춥다 살폈더니
오늘이 소한이다.

24절기가 아무렇게나
제정된 게 아님을 오늘 날씨가
말한다.

상당히 춥고 쌀쌀하다.

미호천 강변 얼음판,
꽁꽁 얼었는지
하얀 눈이 얼음판 위에서
새하얗게 빛을 낸다.

물 건너 쪽,
절벽 품은 산 위의 하얀 눈과
아름다움을 시샘한다.

추위가 절정을 이루는
입춘까지는 딱 한 달이다.

산행 중인 경사진 길에
찬바람이 달려든다.

내뿜는 입김과 부딪혀가며
내 뱃속을 청소한다.

가슴속도 시원하고
추위 느낄 틈도 없으니
내 맘까지 개운하다.

건강 대청소다.

추운 겨울에도 이 맛에 쉴 수가 없다.

은여울산 일수열봉
만보코스 넘나들며
신축년 올해에도
스스로,
약속을 지켜나간다.

산속에서의 하루하루는
그 시간 만큼
널 지키는 거다.

논둑길 따라

눈 내린 지 제법 되었다.

산밑으로 농로 포장된 곳
하얀 눈이 발에 밟힌다.

녹지 않은 눈이 수북하다.

발바닥과 악수하는 듯
뽀드득뽀드득 雪이 웃는다.

갈아 엎어둔 논 자락에도
하얀 눈이 모양 좋게 쌓여있고
논둑길 따라 걷다 보니
내 키보다 더 솟은 갈대도
찬바람에 펄럭인다.

은여울산이 아닌,
조용한 들길에서
오늘 운동을 시작한다.

아무도 없다.

평탄한 길로 걷다 보니

미호천 물 막아둔 보위에
꽁꽁 언 얼음판이 나타난다.

스틱으로 짚어보며
얼음 위에 올라서니
스케이트장으로 멋진 곳이다.

축구장 크기는 돼 보인다.

아무도 올 리 없는 인적 드문 곳
눈 쌓인 얼음 위에서
서성거리며
뭔가를 생각해본다.

내 생각을 가다듬는다.

혹한의 추위인 듯
산 위에서 내리쬐는 강한
태양 빛에도 손마디가
너무 차갑다.

엄청 추운 오늘인데
밤부터는 눈이 온다는 예보다.

논두렁 밭두렁

흠뻑 눈이 쌓여
보이는 모든 것이 하얗다.

나무 위에 길바닥에 언덕에
논두렁 밭두렁에 온통
눈이 쌓여 내 눈 속까지
모두 희다.

나갈까 말까 고민해보다,
율무 앞세우고 들판을 향해
걷는다.

눈 위에서 그림자와 함께
걷는 내 모습,
꼭 그렇게 해야만 하는 것인지
물음표를 던져본다.

회오리치며 날아오는
차가운 눈을 둘러쓰며,
장갑 끼고 주머니에 감춘
손을 꺼내며
찰칵 찍는다.
오늘을 찍는다.

추위도 너무 춥다.
북극이 이렇게 추울 거다.
포장된 농로며
갈대 흔들리는 강변길을
걷는다.

뿌드득뿌드득 부딪혀오는
눈 밟힌 소리가,
코로나로 멈춘 친구 간
악수 소리로 내 귀를 간지럽힌다

들판에서 부는 바람
강가에서 부는 바람
눈과 함께 부는 바람은
걷는 나를 미워한다.
뭣 때문에 걷느냐고 야단치는
모습 같기도 하다.

눈 위의 깨끗함은 가슴속을
씻어내고
누구도 걷지 않은 곳
흔적 남기며 걷는 기분은
조용히 걷는
나만의 자유일듯하다.

고드름 주렁주렁

바람 한 점 불지 않는 적막 속의
산자락이다.

하늘은 엄청 높고 구름 없이
맑고 깨끗하다.

푸른 하늘에 밝은 해가 떠 있으나.
온기는 아예 없고 차갑기만
할 뿐이다.

영하 20도가 이런 추위를
말하는가?
엄청 차다.

콧속이 따끈따끈하고
귓전이 얼얼하며
장갑 낀 손가락이 부자연스럽다.

산속 오솔길은 하얀 눈 속에
뿌드득거리고,
등 뒤에서 햇빛이 오는지
그림자가 앞쪽에서 나와 함께 걷고 있다.

콧김 입김 뿜어대며
산속을 걷다 보니,
어제의 들판 길 산책은
운동으로 느껴지질 않는다.

스며드는 소나무 향이
눈 속에 스쳐오니,
맑은 공기가
뱃속까지 시원하다.

유산소운동 하는 네 모습이
행복해 보이는구나.

돌아서서 오고 싶었지만,
만보코스
열봉까지 기어이 다녀온다.

고드름이 주렁주렁
날 반기는 집으로.

10,813보 7.41km
113분에 오늘을 마감한다.

가장 추운 날이다.

결빙된 미호천

뽀드득뽀드득
오솔길 눈 밟히는 소리가
내 귓전을 울린다.

최고의 한파로 체감온도
-25가 찍힌다.

눈 녹아내리는 처마 밑엔
늘어선 고드름이
크기를 키를 재기하며
줄지어 늘어진다.

흐르는 물은 모두가
고드름 되는지 물방울이
멈춘다.
추위가 이어지니 고드름
두께만 굵어진다.

미호천 강변엔 결빙된
얼음판이 물 흐름을
멈춘 듯,
매일 보던 오리며 백로가
눈에 띄지를 않는다.

살을 째는 추위가
바깥으로 운동가는 나를
자꾸만 방안으로 당기지만,
습관처럼 나는 산에 간다.

맨발로 달리는 율무를
앞세우고 만보코스 열봉에서
만족스러운 내 모습을 내가 살핀다.

하얀 눈 푸른 하늘
솟아오른 나뭇가지에
내 눈은 빠져든다.

둘둘 감은 목이며 푹 눌러쓴
네 모습이 가관이구나.

13,167보 10.24km 거의
3시간 가까이 만보기가
표시한다.
평소보다 더 많이 해낸
장한 너였구나.

개운하다.

처마 밑에 고드름

길게 늘어선 고드름
오늘 날씨를 알린다.

포근하게 비쳐오는
찬란한 햇빛 속에,
지붕 위 쌓인 눈이 녹아내린 듯
고드름 키가 어제의
2배다.

지붕 아래 걷는 길에
쏟아질까 두렵다.

물받이로 장식된 요즘의
시골집엔
어디에서도 보기 드문
귀하디귀한 고드름이다.

볏짚으로 이엉 덮은 시골 모습은 어디에서도
볼 수 없으니,
눈 녹은 후 처마 밑에 석순처럼 매달린
고드름 모습
찰칵찰칵 저장한다.
없어지면 아 쉬 울 거 같다.

쥐꼬리 명당

올해 들어 처음,
초평호 주변
붕어 마을에 도착한다.

초평호
크나큰 호수가 얼음덩이로
변해있고
호수에 떠 있는 낚시꾼들의
유람선 겸 좌대가,
얼음 위에 떠 있다가
빙판에 갇혀있다.

얼음 속에 끼어있어서
얼음 위를 걸어서 배로
올라설 수가 있다.

호수 건너 산에 있는
쥐꼬리 명당도
배가 뜰 수 없으니
개점휴업이다.

인적이 거의 없는 초평호 주변
갑판이길 따라 하늘 다리로

진입하려 했으나,
거리 두기 차원에서
진입을 막아 버렸다.

청소년 수련원 앞산을
돌아서 되돌아서니
하늘 다리 모습만 찍었고
꼭 찍으려던
농다리는 촬영하지
못했다.

MBC 드라마(19시 10분)
"밥이 되어라"가
오늘부터 시작되는데
촬영배경이 진천 농다리라니

오늘 운동 코스로
마음먹고 걸은 거다.
빙판인 호수에서도 걷는다.

호수 위 시원한 공기
원 없이 들이키며
오늘 일정을 마감한다.

운동은 일과일 뿐이다

대물리는 전문직

은여울산
시작지점에 미호천 강,
산과 강이 어우러지며
매일같이 날 부른다.

덥거나 차갑거나
날씨가 문제일 수는 없다.

집 나서면 시작되고
시작되면 개운해지는 곳.

경사도까지 유지되니
평지를 걷는 것과는
너무나 차별화되고
하루만 빠져도 은여울산이
그립다.

쌓였던 눈이 많이 사라졌다.
엄청 추운 날씨지만
강한 햇빛에는 눈 모습으로 못 버티고
물기 되어 스미는 모양이다.

해와 달이 할 일이 있듯이

서 있는 한가지의 나무도
제 할 일을 하는
자연 속에 들어서니,

내가 할 일이 무엇일까?
쉬고 놀고 즐기면 되는 건가?

어제오늘은 밀린 일을
마무리하러 관공서를
다녀온다.

용어도 서툴고
코로나 때문에 출입도
점검해대니….
많이 어색해지는 내 모습이
한없이 왜소해진다.

로봇과 사람이
탁구 하는 세상이니
인간이 서야 할 자리가
자꾸만 없어지니,

일자리는 줄어들고
기계를 움직이는 기술인력만
살아남는
다음 세대가 엿보인다.

전문직 사(土)자 직종은
대를 이어 연결해가는 모습
주변에 많이 눈에 띈다.
의사 변호사 세무사로
자리 잡은 부모 밑에는,

자식들이 공부해서 그 자리를
이어받는 대물림 모습이
심심찮게 보인다.

자리 잡은 일감을 그냥
이어간다니 막을 수도 없겠다.

요령껏 세상을 살아야만
부모들 마음이 편해지나 보다.
만보코스 오후 산행을
신난 모습의 율무를 보며
하루를 마친다.

뿌연 오로라

해 뜨는 동녘 하늘이
북유럽
오로라는 비교할 수 없다.

솟아오르는 햇살 위에
뿌옇게 둘러친 황사 모습이
바깥출입을 자제하게 한다.

살짝 내린 눈이
나무 위에 꽃피운 모습
그나마 위로되는 날이다.

수도권은 수북이 내렸다는데
사는 곳은 살짝만 내렸다.

포근한 기온 속에
은여울 오르막은 등줄기에
땀까지 배어난다.

포근한 영상 온도로
어제 내린 눈이 금방
없어질 기세다.

미세먼지며 황사는
서서히 걷히는 듯 10시가
넘어서니 전면이 밝아진다.

촉촉이 젖은 낙엽은
물기를 보여주고
푸른 숲 시원한 공기가
산 오르는 나에게 포근함을
안겨준다.

9꼭지점 넘어서니 내리막에
눈 쌓임이 눈에 띄게 많아진다

만보코스 정해진 길
옆길로 돌고 돌아 뒤돌아
내려선다.

엉덩방아 찧을까 봐
엉거주춤 걷고 있는
네 모습이 어설프다.

3 6 9 인생길

102세의 철학자
김형석 교수님이 아침마당에
출연하셔서,
건강한 삶에 대해 말씀하신다.

철이 덜 들어서 늙어감이
느릿느릿 하시다며,
살고자 일했고
일하다 보니 건강해졌다며
50년 넘는 세월을 매일매일
일기를 쓰며 지난 시절을
더듬어 살피는 여유를 갖고
계심에 크게 감명받는다.

99까지는 헤아리며 나잇살을
계산했는데,
100살이 넘어서부터는
나이를 살피지 않고
그냥 살고 계시는 듯
말씀하신다.

3 6 9로 나누면서
30까지는 배우고

60까지는 직장에서 움직이고
90까지는 덤으로 이어가신다며
살아오신 세월을 분석하신다.

많이 느끼고 주변을 살피며
내가 어디에 필요한지를
스스로가 알았을 때
스스로가 깨우쳤을 때
건강한 인생이 있으리라

감히 상상해본다.
뭔가를 기록으로 남겨보고
지나온 내 삶을 되돌아보며
반성해 간다면
행복한 미래가 전개되리라.

세종을 돌아오며
먹어야 할 약을 몽땅
준비하며 슬퍼짐을 헤아린다.
신체의 기능이 쇠퇴해가니
어쩔 수는 없다.

가능한 노력은
스스로 찾아서 해야 하니
오후 늦게 은여울산을
더듬는다.

산 까치가 운다

초평호 뒤쪽
임도 따라 걷는다.

완만한 경사도에 자갈길,
발바닥에 돌 밟는 소리가
굴러가는 내 모습이다.

여러 번 왔던 곳
율무는 눈에 익는지
두리번 거리지도 않고
코를 박고 정신없이 자연을
즐긴다.

눈 녹은 언덕길에
봄이 오는 듯 가벼운 숨소리에
푸르름이 금방이라도
다가올 듯하다.

꽁꽁 얼어 빙판(氷板)된 초평호가
멀리멀리 산 사이로
구불구불 물길을 엮고 있다.

번질번질한 빙판이 녹을

기미가 보이질 않는다.

농다리 중부고속도로길
바삐 바삐 움직이는 차량 행렬,
요란스럽다.

움직여야 먹고사는 세상
코로나 거리 두기는
소상공인 밥줄 끊기로
인식되는지 여기저기에서
민원행렬이 요란스럽다.

미르 전망대에서 농다리로
움직였으나,
거리 두기로 차단되어
다리 모습만 살펴보고
촬영 후 농암정(籠岩亭)으로 오른다.

맑고 깨끗한 호수 변 바람결이
내 마음을 잡아준다.

사람이 아예 없어
호수 변 갑판 도로도
은여울산 오솔길이나
한가롭긴 마찬가지다.

흔들리는 맘

연중 가장 추운 날씨
소한에서 대한으로 가는
길목
추위가 매섭다더니,
오늘 바람결도 피부에 부딪힘이
예삿날과는 사뭇 다르다.

눈 내리고 차가운 날이
시작되는지,
햇빛 사이로 흐르는 바람
오늘부터 느낌이 차다.

오솔길 오르막에 쉼 없이
걷고 나니
땀 맺힘이 등에 오고
가슴속도 시원해진다.

집에만 있고 게으름피우다
느지막하게 시작한 오늘
어찌 되던 집을 벗어나니
운동이 시작된다.

빠짐없이 움직여야만

내일이 있음에,
흔들리는 마음가짐을
단단히 묶어가야만 한다.

나사가 풀려가는 요즘의
내 모습,
걱정스럽다.

만보코스 열봉지점에
율무와 쉬고 나니,
숲속에서의 내가
여유로운 모습임에는
틀림이 없구나.

운동 후의 개운함은
운동이 주는 마음의
평화일 거라
늘
느끼면서도,

게으름 피우고 싶어지니
너에겐 그게 문제이니라.

제대로 사는 거냐?

엄청 푸른 하늘이다.

약속일정이 따로 있다 보니
은여울산을 못가고
무량사 뒤쪽 경치 좋은 곳
율무와 헤맨다.

맑은 하늘에 비행기 한 대
위담산방 등성이로
청주공항을 향해서 나른다.

찬바람 부는 할미꽃밭에
할아버지인 내가 쉬고 있다.

봄에 계시던 무량사 거사분이
몇 달 전에 소천 하셨단다.

서울 병원에서 가셨다니,
아랫집 살면서도 모르고
지나쳤다.

무량사 가꾸는데 성의를
다하신 분이셨는데 눈에 선하다.

복스러운 눈송이

벙어리장갑 속에
손목을 감추고
빗자루 들고 쓸기 시작한다.

마당에 걷는 길 쪽만
흙이 보인다.

밭 자락 논배미 논둑길
산자락이 온통 하얗다.
소나무, 전나무, 향나무며
철쭉이며 앙상한 자두나무까지
온통 복스러운 흰 꽃이다.

울긋불긋 꽃필 때와는
통일된 하얀색이
내 마음을 정리해준다.

지저분한 여기저기가
한꺼번에 감춰진
눈 내린 오늘 모습이다.
녹기 전에 담아두고
하루를 정리해본다.

북풍한설(北風寒雪)

눈 내린 순간에 걷고 싶다.

펑펑 쏟아지는 눈과 눈 사이로
내 발걸음 움직이며
미호천 강변을 걸어온다.

북풍한설(北風寒雪)
바람불어 추운 날에
눈까지 날리는 모습이다.

눈 몰아오는 오늘
내 몸은 걷는다.

까만 옷 위로 하얀 눈을
둘러쓴,
눈사람 모습의 내가
뚜벅거리며 걸어간다.

그냥 눈사람이 걷는 거다.
보는 이 없는 곳에 눈사람으로 변한
네 모습은
너만 혼자 알겠구나.

새로운 길

인연이 있었던 취라마을,
태양광 시설물이 자리 잡은 곳
오늘 운동 코스로 자리 잡고
집에서부터 걷는다.

방사광 가속기 관련
산업단지가 들어선다는
골짜기를 걸으며,
마을이 없고 계곡에 연결된
산악지대이니 민원은 없겠다 싶다.

수년 전에 도로가 포장되어
농로 겸 취라마을의
면 소재지 왕래 길로,
길 주변에 산과 밭 자락뿐이니
너무도 조용하다.

새로운 운동길로 안내된
율무는 주변 산으로
운동 코스를 잡았는지,
튀어나가더니 속깨나 썩인다.

기다리며 불러대니

겨우 나타난다.

멋지게 자리 잡은 태양광
시설물 주변은 다리공사
포장공사까지 완벽하게
마무리하고 넓은 면적에서
엄청난 전력을 생산할성싶다.

아주 부럽다.

철조망 속에 고라니 한 마리
갇힌 채 튀어대니,
율무가 울부짖는다.

끈을 풀어주면 쫓아갈 태세로
엄청 짖는다.

출구를 겨우 찾은
고라니의 애달픈 모습 속에
먹이 찾아 내려선 그 모습을
사진 속에 겨우 담아둔다.

파란 하늘 중앙공원

세종에 들르면,
호수공원, 중앙공원, 세종수목원
둘러보고 싶어
한 바퀴 돌아야만 직성이
풀린다.

오늘 처음으로 중앙공원과
호수공원을 아우르며
돌아왔다.

중앙공원과 호수공원은
무료입장으로 자유스러우나,
수목원은 예약 후 입장료까지
수납 후에 구경할 수 있단다.

맑은 공기 높이 솟은 정원수며
사이사이에 쉼터 벤치며
수도시설 그늘막 등 많이
갖춰졌으나,
심어둔 정원수가 숲을 이루면
환상적인 쉼터가 될듯하다.

세종시가 준비된 도시로

국회까지 내려서면,
준비되지 않은 서민은
도시로 들어서기가 어려울 듯
해 보인다.

꽁꽁 언 호수공원은
빙판 위에 하얀 눈이,
세상을 하얗게 변색시켜 버렸다.

멀리 보이는 아파트 모습이,
호수공원을 가운데 두고
산 밑으로
삥 둘러친 듯 아름답다.

산길이 좋다

평지의 공원길
가볍게 걸어온 호수공원
중앙공원의 어제보다는,
은여울 수목원 길이
운동하는 내 몸은 적응이
잘된 거 같다.

나무뿌리 바윗돌을
계단 밟듯 힘주며 올라서면,
낙엽은 쿠션을 제공하고
주변에 자연스럽게 서 있는
소나무, 참나무는 깨끗한
공기를 나에게 옮긴다.

띄엄띄엄 정원수로 심어둔
중앙공원의 나무와는 비교가
되지 않는 분위기다.

잔디로 아름다움을 준비
했다지만,
여기저기 제 멋스러운 잡초의
분위기를 품어내는
은여울산 오솔길과는 비교가

될 수 없을듯하다.

호수에 갇힌 채 담긴 호숫물은,
세월을 읽어가며
쉬지 않고 흘러가는
미호천 강물과는
비교조차도 어려운 모습이다.

대한(大寒) 추위가 지나선지
영상의 온도를 보인다.

오후엔 비까지 내린다니
위담산방 눈길 오르막은,
빗물이 밀어 내릴 듯도 하다.

첫눈부터 쌓였었는데,
비탈진 곳 미끄러운 눈길이
비 온 뒤부턴
쉽게
오르내릴 것 같다.

은여울산
열봉까지 미끄러운 눈길이
이어졌으나,
스틱에 의지한 채 기어이
만보코스를 돌아온다.

물안개 자욱한 강변

은여울 오솔길 길목에 가득 찬
낮은 구름층이 시야를
흐리게 하는 오늘이다.

어젯밤에 쉬지 않고
비가
내리더니
눈에 띄던 하얀색 눈은
자취 없이 사라졌다.

깨끗하게 눈 치워진 산길에
미끄러워 조심스러운 길목은 없어졌다.

나무와 나뭇사이로
구름 낀 것처럼 뿌연 모습이,
구름과 함께 하늘이
지상으로
내려선 모습이다.

우수(雨水)는 한 달 뒤인데
오늘이 꼭 우수 절기를
땅겨온 그런 기분이다.

포근하고 습기 찬 기온이
봄맞이하는
한 달 후
우수주변으로,
계절이 빨라진 것만 같다.

7석(石)지점 바윗돌에 앉아
주변을 둘러보며
만보코스 돌아 나올 모습을
조용히 그리고 있다.

치매 노인을 모시는
고달픈 뉴스가 여기저기
티브이 화면에 비치면
남의 일로 보이지 않으니,

끊임없이 운동해야 함을
스스로
각성해가며,
쉬지 말고 움직일 것을
다짐 또 다짐해본다.

멧돼지 발자국

햇빛이 찬란하고
차가운 공기가 수그러든
봄 날씨 같은 날이다.

답답한 집을 떠나
늘 다니는 곳
은 여울 산에 이른다.

입구의 미호천 강물
얼음판이 거의 없어진 채
졸졸졸….
물 흐르는 소리가 귓전에
와닿는 것 같다.

너무나 맑은 물이다.

수목원 비탈진 곳,
잣나무숲 길을 힘주고 오르니
등산로가 시작되고,
뚜벅뚜벅 올라선다.

나와 같이 움직이는
율무는

저만치서 먼저 오른다.

오르다 쉬면서 내 위치를
확인하곤 또다시 앞서간다.

주고받는 언어는 없으나
날 지키며 맞아주는
멋진 녀석으로
없어서는 안 되는 존재로
바뀐 거 같다.

반려견과 함께하는
많은 사람의 맘을
읽어낼 거 같다.

숲에서 뿜어내는 습한 듯
시원한 공기,
평온함을 전해준다.

개운하다.

내리막길 경사진 곳에
황소가 밟고 간듯한
발자국이 이어진다.
멧돼지가 움직인 것 같다.
섬뜩함이 머리를 스친다.

가파른 산길 따라

동네 앞 개울 길 때라
60도가 넘는 경사진 산길
처음으로 올라본다.

보성오(吳)씨 종산인듯,
좋은 위치에
벼슬 지낸 명패를 달고
오(吳) 씨 조상님들이
누워계신다.

가파른 산길을 숨 몰아쉬며
오르다 보니,
뱃속까지 개운해지는 기분이다.

첫 산행길에 율무도
많이 어설픈 듯
두리번거리며
조심스러워한다.

가다 서고 뛰다 돌아보며,
나와의 간격을 유지해준다.

미호천 은여울 다리가

맑디맑은 미호천을 가로질러
초평으로 이어준 모습,
산에서 내려다보니
더더욱
아름답다.

산등성이를 타면서
증평 쪽으로
산길을
더듬으며 걷는다.

동물 다닌 길 외엔 반반한
길도 없는 곳
처음 밟는 내가 된다.

급경사진 내리막을 낙엽밀고 내려서니
늘 갔던 낚시터가 나타난다.

오리가 먹이를 찾아 단체로
물 위를 떠다닌다.

얼음 녹은 맑은 물속에
먹거리가 보인 모양이다.
살길 찾아 어디선가 몰려온 듯
정신없이 훑어댄다.
실컷 먹어두려나 보다.

꽁꽁 얼음판

초평호 붕어 마을에서
갑판이길 따라서
하늘 다리 방향으로 걷는다.

호수에 얼음이 꽁꽁 얼어
쥐꼬리가든 식당에서
얼음판 위로
걷는 모습이 눈에 띈다.

혁신도시에 볼일이 있어
오전 중에 초평호를
걷는 중이다.

맑은 호수에 잔잔함도
빙판으로 멈춰 서있다.

호수에 떠 있는 낚싯배도
고정되어 얼음판에 굳어있으니,
낚시꾼은 아예 없는 거 같다.

맑은 호수를 멀리 바라보며
약속 시각에 맞춰가며
바쁘게 움직인다.

산속에 우물펌프

강추위가 몰아닥쳤던
올해엔
수도 계량기 터짐은
당연했었고,

외딴집에 우물펌프가
파열되고 엑셀 파이프가
터졌으니 기술자 불러서
한나절을 공사한다.

펌프 상단 주물로 만들어진
쇠뭉치가 얼음팽창에
벌어진 모습을 보니,
인간의 힘은 자연에 비교되면 엄청 왜소해 보인다.

수도 펌프 교체작업이
완료되니 큰 걱정은 사라진다.

물과 전기가 없는 곳
외딴 산속에선 하루 버티기도
부담된다.

오후 늦게 은여울산이 아닌

렉스빌 아파트 뒷산 급경사진
산등성이를 한 바퀴 돌고 있다.

오랜만에 와보니
시작지점 경사도가 대단하다.

율무는 풀어주니
날쌔게 오른다.

가다 서고 뒤돌아보며
생소한 길에서 스스로 조심한다.

율무의 생각이
나이든 노인들보다는
더 좋아 보인다.

알아서 움직인다.

우뚝 솟은 소나무의 푸르름
앙상한 참나무 사이의
푸른 하늘,
개운한 맘으로 머리를
식혀준다.

강풍에 눈보라 친다더니

렉스빌 아파트 뒤쪽 구릉에
대규모 토목공사가 요란하다.
야영장을 조성하는 더샘터가,
청주를 배경으로 쉼터를 만든다 한다.

10만여 평이라니 어마어마한 규모이고
공사비만 20억이 넘는다니,
젊은 사람들이 수없이 모여들 거 같다.

벌목해둔 나무가 수없이 뒹굴고
산자락에 등산로를 닦는 등
조용한 변화가
문백면에 올 거 같은 예감이 든다.

야영장 입구로 돌아내리니
이마트 매장도 설치되었고,
야영장 개원일이 임박한 듯
여기저기 모습이 쉼터로 좋은 장소다.

집에 도착하니 온 세상이
하얗게 눈이 쏟아진다
기상예보가 정확하구나.

눈꽃이 망가졌다

눈보라 치던 어제,
언제 그랬느냐고
햇빛 쏟아지는 오늘,
어제 불었던 강풍에
모두 날린 듯
나뭇가지엔 눈꽃이 없다.

은여울산 오솔길은
하얀 눈길로 포근하지만,
눈 위로 쏟아져 내린
썩은 솔가지며 솔잎낙엽이
하얀 길 위로 잔뜩 쏟아져,
수채화를 그려둔 듯
요란스럽다.

어제의 강풍에 힘없는
썩은 가지며 겨우 연명하던
솔잎이 몽땅 땅 위로 뒹굴었다.

코로나에 부대낀 노인들
모습이,
강풍에 떨어져 나간
솔잎과

힘없는 가지에 비유된다.

운동길을 여기저기
바꿔가며 며칠 만에 오르니
은여울산
잣나무 수목원부터 하얗게
쌓인 눈이 내 눈을 부시게 한다.

입춘이 코앞인데
엄청 찬 기운이 한겨울은
비교할 수 없다.

순 틔며 봄 준비하던 생강나무
산수유가 제자리 서버린 것 같다.

손시리고 콧속이 얼어붙는
영하 10도의 추운 날에도
내가 해야 할 일은 쉴 수가 없다.

율무가 보채고
내 마음이 산에 있으니,
그냥 나서는 것이고
하고 나면,
개운한 그 맛이 너무도
깨소금이다.

혼자 걷는 산

오직 한 사람
하얀 눈이 쌓인 언덕길에
걷고 있는 그 사람
아주 외로워 보이는구나.

차갑던 날씨는 제법
걷힌듯하나,
바람에 부딪히며 다가서는
공기는 움츠리게 한다.

율무가 앞서가는 걸 보니
외로운 그 모습이
바로 너였었구나.

쉬지 않고 운동하느라
마음고생께나 한 거 같다.

코로나가 몰아친 후
세상 살기가 어려워진
많은 직종이 눈에 보인다.

세상은 변해가고

블록체인 화폐….
4세대 암호화된 화폐로
용어 자체가 낯설다.

인터넷 용어에도 미숙하고
국제화된 세상살이는,
모든 부분에서 어설프다.

디지털 화폐로 금은보화
부동산에 이르기까지
모든 거래가 암호화된
블록체인 화폐로 거래 가능한
세대를 살아야 할듯하다.

어느 대륙 어느 나라에 살고
어떤 언어를 사용하는게
문제가 되지 않고,
자본시장이 블록체인 화폐로
일반화된다면,
뉴욕의 빌딩 런던의 토지도
지분으로 취득 가능하단다.

스미다란 프로에서

대학교수가 안내하는 모습
많이 생소하다.

좌파 우파 하며
잡아먹을 듯 쥐어짜는 세상도
서로 해 먹겠다고 으르렁대는
정치권도 세계화로 시장이
움직인다면,
조용해지지 않을까 싶다.

주식거래가 국제화로 치닫고
내 주변에서도 해외주식에
투자하는 세상이다.

포근한 듯 맑은 거 같으나
산행길에 차가움은
여전히 겨울이다.

소나무 사이로 파란 하늘이
기분 좋게 하는 오늘

깍 깍 까마귀 울어대는
열봉까지 율무와 다녀온다.

Part 3

코로나 19에도

희망은

숨어있어요

미르전망대

초평호 후문 야영장 쪽
습한 공기 속에서
물안개를 품은 채
수많은 텐트 모습이 눈에 띈다.

집 벗어난 모습으로 일상을
엮고 있는 것 같다.

21년이 시작되나 했었는데
어느새 2월이 시작된다.

오늘이 그 첫날이고
내일 모래면 입춘이라는데
눈이 내린다니 계절이 헷갈린다.

율무와 함께 옆지기가
오늘은 함께 움직여준다.

임도 입구에 차를 세우고
미르전망대로 오르막을 걷는다.

계속 오르기만 해대니
힘든 코스로 느껴진다.

시작이 반이라더니
미르전망대가 나타난다.

중부고속도로에 차량,
밀리는 모습이 보인다.

천년정을 코스로 잡고
등산이정표를 따라서 걷는다.

멍석을
깔아둔 멋진 산행길이다.

농다리 관광코스로 정성을
잔뜩 쏟아둔 진천군의
명품 관광코스다.

구불구불 산행길까지
구성한 곳에 조용히 다녀왔다.

산등성이에서 초평호를
내려다보며 통행을 차단해둔
농다리 모습을 사진으로
담아둔다.

쿠션 좋은 등산로

렉스빌아파트 뒷산,
경향산 둘레길을 돌아서 내려왔다.

샘터 야영장이 만들어지더니
등산로 주변도 말끔해졌다.

시작지점에서 급경사를
오르느라 힘깨나 쓰고,
산등성이 길에 이르니 찬바람이
콧잔등을 베어내듯 몹시 차다.

어제처럼 오늘도 따라나선
옆지기가 동행했으나,
중간지점 야영장 쪽으로 내려섰고,
율무와 난 산등성이 따라 계속 걷는다.

산 아래가 까마득한 산행길,
걷는 길 양옆엔 쭉쭉 뻗은
소나무가 하늘을 가른다.

솔잎 쏟아진 오솔길엔
쿠션 좋은 등산로가,
날 기다리는 좋은 모양새다.

된서리처럼 내린 눈

늦가을에 된서리처럼
살짝 내린 눈 자락이,
오솔길 걷는 내 발자국에
발바닥을 그려낸다.

멀리멀리 맑은 공기
높이 솟은 푸른 하늘을
온몸으로 품어준다.

바람 한 점 불지 않은 곳
경향산 오르막을 지나
산등성이를 걷고 있다.

어제의 찬바람이
입춘이라고 고개 숙인 듯,
포근한 날씨가 언덕길
하얀 눈을 녹여내기 시작한다.

뿜어내는 훈김
모락모락 안개 솟는 내 모습이다.

건강함이 보이는 것 같기도 하다.

쉬지 않고 걷는 매일 산행
너에겐 보약임을 명심하라.

산등성이 돌고 돌아
내가 첫 손님이다.
눈발자국이
나로부터 시작된다
은여울산을 벗어나니 율무는,
다소 어색한 모습이다.

가다 서고 뒤돌아보며
함께하는 즐거움 속에
나와
찰떡궁합을 자랑한다.

오늘이 입춘이니
요 며칠 지나다 보면
차가움은 걷히겠지?

입춘에   ㅇㅇ 오그라든다니,
반짝 추위는 있겠지만….
소나무 낙엽 밟으며
둘레길 산등성이를 계속해서
걷다 보니 어제만큼
오늘도 해내는구나.

봄바람 강바람

입춘에 내린 눈
온 세상이 하얗다.

산으로 오르기엔 부담스러워
은탄교주변 미호천 강변을
걷고 온다.

종종대는 율무와 뚜벅대는
내 모습,
그림자 따라 발자국으로
남겨진다.
줄지어 걷는 모습이 나란히
나란히 따라온다.

하얀 눈 위로 부는 바람
강물을 스쳐오는 강바람
차갑진 않고 시원함을 준다.

상쾌한 오늘이 영하3~4도니
봄바람임이 틀림없다.

흐르는 물줄기엔
수없이 많은 오리 떼가

먹이 찾아 모여있다.

파란 하늘 휘저으며 까만 새가
떠가더니 급하게 공격한다.

매의 사냥 모습이 눈에 보인다.

먹고 먹히며 자연을 엮어가는
생태계 모습이다.

눈을 뜨기가 힘들 만큼
하얀색 눈빛이 안경 속을
쏘아대니 전방이 아련하다.

신난 녀석은 율무뿐이다.

맑고 깨끗한 날씨에
쌓인 눈은 금방 녹을 것만 같다.

어제 내린 눈 자국이

산자락 여기저기에
하얀 띠를 둘러맨 듯 겨울
분위기를 풍긴다.

맑은 공기 소나무 숲길
푸른 하늘 잔뜩 품고,
걸어야 하는 내 몸
내가 스스로 챙겨서 움직인다.

주인 따라 즐거워하는
율무 녀석이
급경사진 산자락에 내려서더니,
낑낑대고 올라선다.

갈림길에 낯선 율무가
앞서가다 헤맸었는지
호출에 허덕대며 나타나는
그 모습이 너무도 귀엽구나.

코로나 19 사회적 거리 두기
고향 나들이도 쉽지 않다.

명절 전에 움직여야 할성싶다.

고향 하늘

토요일인 오늘
아침 7시에 출발하여 집에 도착하니
오후 7시가 넘었다.

12시간을 운전하며 버텼더니
많이 힘들다.

힘들지만 뿌듯한 마음이 가득 찬다.

조용히 인사드리며 부탁도 드리고
준비해간 김밥으로 끼니를 때우면서
함께 식사하는 분위기도 느낀다.

코로나 거리 두기가 친척들
만나는 것은 물론,
직계가족의 모임도 부담스러운 설이니
내가 대표로
인사드린 격이다.

고향 하늘은 완연한 봄 날씨로
보리심은 밭 자락엔
파릇파릇 순이 널려있고,
고사리밭에 고사리순도 눈에 보일 거만 같다.

내가 할 일을 해내면서
혼자 흐뭇함을 간직한다.

고향 묘원

안개 낀 하늘에

미세먼지까지 자욱하다.

미호천 강변에 물안개 떠 있는 곳
여러 날 만에 은여울산이다.

오르막길이 눈에 익지만
오늘따라 오름길이
아주 팍팍하다.
나를 위한 운동이니
게을러선
네 몸 유지가 힘든걸 알 거라.

유산소운동 수준에서
쉬지 않고 하는 걷기운동이,
장거리 운전에도 버틸 수 있음을
스스로가 알아볼 수 있었다.

세계적인 피아니스트 백ㅇㅇ와
천하제일의 미인 배우
윤ㅇㅇ의 기사가 뉴스로 보인다.

치매 환자인 윤ㅇㅇ가
딸과 배우자로부터 보호받지

못하고 외국에서 고국을 찾는단다.

내 몸을
내가 관리하지 못하고
처참한 인생 끝자락을 헤매는걸
누구에게 탓할 것인가?

자기방어가 있어야만
가족들로부터도 따돌림받지
않는다는 사실이 현실적이다.

율무의 보챔에
은여울산 오솔길에
조용히 걷고 있다.
아무도 없으니 코로나는
남의 일이다.

나무에서 뿜어나오는
맑은 공기 마셔가며
은여울 열봉지점에 이른다.
햇빛이 드리워지며
안개까지 걷혀간다.

호호 불며

찬바람이 불어온다.
아주 많이 차갑다.

입춘지나 봄이 익어가나
했더니,
영하 7도를 오르내리는
찬 기운이 내 몸을 괴롭힌다.

은여울산 오르막에
햇빛은 요란스럽지만,
바람에 부딪힌 나뭇가지 소리
찬바람 일으키며
손가락 마디마디로 손 시림을
알려온다.

영웅호걸 4 쌍둥이 사내에
딸까지 출산한 이웃 동네 음성에서의 인간극장이
아이들과 씨름하며 사는
아름다운 모습으로 방송된다.

출산을 포기하고
결혼을 포기한 체
나 홀로 인생으로 혼자만을

즐기며 사는,

배움이 많은 요즘 세태를
비꼬기라도 하는 듯.

사는 것처럼 사는 모습에서
세상의 맛을 느끼게 한다.

맑고 깨끗한 공기
콧속이 알알한 찬바람이지만
기어코 해낸다는
내 마음을 막지는 못한다.

은여울산 열봉까지
쉬지 않고 도착하니,
기분이 너무 좋다.

오늘도 해냈다.

율무 녀석도 숨 가쁜지
헐떡대며 함께한다.

물 한 모금 입추기며
고구마로 입맛 다시는
율무
네 모습이 이쁘구나.

산행길이 아름답다

중부고속도로 차량소음이 굉음이다.

명절에 움직이는 화물인 듯,
수없이 많은 차량이 산등성이
구불구불 길목에서 정면으로
보인다.

미르전망대에서 천년정을
향하는 산행길,
멍석 깔고 요리조리 비껴가며
산행길이 아름답다.

양옆으로 나무도 보였다가
정면 먼발치로 농다리 물길도
눈에 보이며
더 걸어가면 농암정도
오른다.

초평호 맑은 물을 머리에
새겨가며
힘차게 걷고 있다.

길에 익숙하지 않은 율무는

가다 서고 뒤돌아 멈추면서
내 눈치를 살피는구나.

통행이 제한되었던
1000년 된 농다리가 며칠 전에
통행이 자유로워졌다.

율무를 끈으로 동여매고
돌다리를 건너본다.

물소리 요란하고 가느다란
돌다리길에 매우 어색한
율무 모습이다.

조심스레 건너는 영리한
모습이 제법 대견하다.

덤벙대지 않고 조용히 걷는다.

오리 떼가 먹이를 찾고
백로가 오리 떼 주변에서
외롭게 서성대는 모습,
미호천 변 강변과 많이 닮은
농다리 주변 강줄기 모습이다.

초록색 물줄기가 아주 새롭다.

오리 가족

떼 지어 모여든 오리 가족과
그 주변을 헤매는 백로 한 마리
먹이 찾아 은여울산 입구
미호천 강변에 둥둥 떠다닌다.

모이고 모여서
30마리가 넘는 오리 가족이다.

코로나로 모이기 힘든
인간 세상을 비꼬기라도 하는 듯
봄나들이 겸
먹거리 사냥을 즐기는 모습
아주 부럽다.

코로나 예방백신도
나잇살 훔친 노인들에겐
위험할 수가 있는 거만 같다.

면역력이 약하고
기저질환을 거의 담은 노인들,
아무래도 불안하니
보건당국에서도 엄청 대비하는
뉴스가 눈에 띈다.

코로나 백신 예방접종에
줄 서는 그런 일이….
있을까 싶다.

많이 조심스러운 세상살이다.

꽃망울 머금은 나무줄기가
눈에 띄는 언덕길
봄이 온 거는 맞는가보다.

하늘은 잔뜩 찌푸리고
구름 낀 오늘이 별로다.

제멋에 산다

설 연휴가 시작되는
첫날,
집 앞 도로엔 차량 이동이
번잡해진다.

외제 승용차에 어설픈 모양새 한
차량이 골프장을 향해서
이어 달리는 모습
부럽다고 해야 하는지?

제멋에 사는 세상
요즈음은 쓰고 즐기는
젊은이가 많다 보니
어지간하면 외제 차로
자기 모습을 둔갑시킨다.

코로나 방역 기간에
골프장은 바삐 돌았다고 한다.

골프장 근무하는 주변인이
연월차를 쉬지 못해
바쁘게 움직였다 하니,
세상은 요지경 속이다.

물가에 백로는 짝을
잃은 모습인지
짝을 못 찾은 모습인지
늘 혼자서만 내 눈에 띈다.

설에 방문을 멈추고
시끌벅적했던 음식준비를
멈추니,
한가하긴 하다만
서운한 거는 숨길 수가 없다.

율무와
은여울산에서
오르막길 걸어가며
숨을 내뿜는 네 모습이
어제와 똑같구나.

스트레스 쌓인 주변인들
걱정 속에 질병만 커진걸
많이 보게 된다.

현재를 최상이라 생각하며
오늘만 생각하자.

금사빠 은사빠

집주변에
파평윤씨 산소가 모여있다.

차량이 모여들고
성묘객이 줄을 서며
누워계신 분께
인사드리는 명절 분위기가
이어진다.

생전에 부족했던 효심
반성이라도 하는 듯,
알록달록 조화로 단장해가며
후손된 도리를 다하는 모습
끊이지 않고 이어진다.

떡국 한 그릇 먹고 나니
보태지는 한 살에
어찌하지 못하는 내 모습,
안절부절못해본다만
네 나이가….
이젠 칠순 중반이다.

은여울산 9꼭지점까지

오늘 산행을 마무리하고
집에 도착하였더니,
오지 마라 당부해둔 서울의
한 가족이 세배드린다고
대기한다.

마스크 둘러쓰고
조심스러운 내 모습이
어쩐지 어색하다.
이건 아닌데?

놓다리 맑은 공기 속에서
운동 좀 하고 오겠다며
서울사람 모두가,
집을 벗어난다.

갇혀 지낸 서울 생활이
많이 힘들었던 모습이다.

까치까치설날은
어저께고요,
우리우리 설날은
오늘이라 했었는데….
가족 모임도 차단되니
설 기분도 엉망인 거 같다.

티브이에 모든 출연자가
한복으로 둔갑한 걸 보니
명절은 명절인가 보구나.
"금사빠 은사빠"
아시나요…?

아침마당에서 부르는
노래 제목이고
금세 사랑에 빠지고
은근히 사랑에 빠진다네요.

농다리

지지고 볶는다

명절 뒷마당에
먹거리 내음이 방안에
가득하다.

지지고 볶아서 술과 함께
회포를 푼 설의 모습이다.

아무리 막아도
천륜은 끊을 수가 없다.

잔뜩 준비해서 가져오니
먹거리가 넘쳐나고,
그동안의 소식을 주고받으며
나누는 정담이 세상사는
보람이 아닐까 싶다.

아침 일찍 떠나가고
누군가 또 올듯하여….
율무와 난
은여울산 오솔길을 서둘러
걷고 있다.

관광지 농다리 코스는

명절에 모여든 인파로
많이 번잡하단다.

피해야 하고 조심해야 하는
코로나이니,
아예 나 혼자
걷는 곳 은여울산에서
맑고 포근한 날씨를 즐긴다.

잔뜩 모인 오리 떼가
미호천 강변에서
가족 잔치를 벌이는 듯,
헤엄치고 나르며
떼 지어 움직인다.

개들도 명절인가 싶다.

영상 4~5도로 완연한
봄 날씨다.

고속도로도 전혀 막히지 않고
평상시와 똑같다고 들린다.

산을 타는 중에 벌써 서울
집에 도착했단다.

요즘에는…

떼를 지어 모여든 오리
아침 시간에만
그 장소에 보인다.

어디에서 모여든 지는
알 수 없으나,
내가 산에 오르는 그 시간에
꼭 그 자리에서 웅성거린다.

끼니때면 밥상머리에
둘러 앉는 듯
흐르는 물줄기에 먹거리
고기떼가 내려오는 듯싶다.

우중충한 날씨 속에
오늘 내일은 비가 내린다는
예보인데….
아침나절에 벌써 빗줄기가
보인다.

완전한 봄 날씨 속에
설을 보내고,
손자 손녀 아들딸 가족들을

사이사이로 만나보면서
쑥쑥 커가는 꿈나무
손자 손녀들과 세상 보는
눈동자가
너무 다름을 알게 된다.

살아온 세상이 다르고
앞으로 열어갈 세상,
살아가야 할 세상이 예측불허이니
어떤 충고도 시대 감각에
뒤떨어진다.

조용히 바라볼 수밖에
없는 내 위치임을 깨닫는다.

변하는 세상
움직이는 모든 부분이
새롭게만 느껴지는 구시대의
내가 되었음을 아쉬워 말라.

네 몸이나 단속하고
주변에 힘들게는 하지 마라.

게으름은 곧 건강에 적신호로
변화를 준다는 사실을 크게
느끼거라.

바람아 바람아...

들판에서
부는 바람 때리는 바람
산 위에서 부는 바람
울리는 바람,

요란스러운 바람결에 은여울
들판을 걷고 있다.

차가운 바람이 추위를
품고 오는지 걷는 나를 괴롭힌다.

바쁜 일과를
오전 중에 마무리하고
오후 시간에 걷는다.

은여울산을 뒤로하고
미호천 강변과 들판을
헤맨다.

봄이 온 듯 시원하더니
논고랑에 눈 녹아 고인 물도
보이고
갈아둔 논 자락이 축축하다.

개구리가 나올듯했었는데
추위가 다시 온다니,
땅속으로 숨어들게 뻔하다.

우수(雨水)가 임박하니
땅이 풀리면 농사준비
해야 하는데….
꽁꽁 언 날씨가 시작된다니
시골살이 중심 잡기가 어렵다.

하늘에서 움직이는
요란스러운 구름 자국
햇살 먹은 밝은 곳과 뒤편의 검은 구름이
멋진 풍경으로 보인다.

화가가 따로 있나?
바람아…!!
네가 화가라면
구름을 휘저어서
멋진 추상화를 제공해다오.

멀리멀리 흘러내리는 미호천 샛강에
푸르름이 물결로 엿보이며
버드나무 새순이
연초록 봄 색깔을 보이는 오늘이다.

존재의 가치

산이 있어
풀과 나무가 자라고
하늘이 있어
그 위로 구름이 매달린다.

내가 있음은 부모의 힘이지만
땅이 있어 밟을 수 있고
공기가 흐르니,
숨 몰아쉬며 즐거움을 찾아낸다.

차가 있어 도로가 놓이고
그 도로를 따라 좋은 곳을
찾아간다.

주치의 선생님
보살핌에 내 건강을 지켜가며
행여 어쩔까?
한 움큼의 양약을
꾸준히 먹어댄다.

내 몸이
약에 의존되니
어쩔 수가 없다.

추위가 겹치더니
눈까지 쏟아진다.
하얀 눈발이 예사롭지 않다.
많이 쌓여가는 마당을
주시하며,

기상예보가 한치도
오차 없음에
많이 감탄한다.

세종을 다녀오며
오늘 운동은 멈춘다.
율무 녀석 보채지만
오늘은 쉬자꾸나.

하얗게 쌓인 눈
나무 위도 지붕 위도 마당에도
눈 밟으며 걸어보자꾸나….

잡채 삶아서
잔치나 해보세.

생일이니 먹어보세.
굽고 지지고.

떠 있는 구름 결

눈만 밟으며
은여울 오솔길을 걷고 온다.

어제 내린 눈
산 전체가 하얀색이다.

바람결에 눈꽃이 사라진 듯
하늘을 향해 나무만 솟아있다.

떠 있는 구름 결이
햇빛에 둘러싸인 체
그 모습이 가지각색이다.

눈 위로 스쳐오는 바람
산등성이에서 마파람 치니
얼굴 쪽 맨살이 견뎌내기
힘들구나.

눈만 보며 걷다 보니
내 눈에서 흐르는 물 자국
눈알을 훔치며 걷게 된다.

생각 없이 걸었다

우수가 오늘인데
산등성이 쌓인 눈은,
발바닥에 쿠션으로
와 닿는다.

영하의 온도라는데
그렇게 차갑진 않고,
푸르고 맑은 하늘이
봄 날씨로 가는 길목이다.

더샘터
캠핑마을이 엄청난 규모로
개원일이 가까워 지는듯싶다.

바퀴 달린 집도 보이고
콘도형 건물, 까페, 이마트슈퍼
물놀이 놀이터까지
준비된 내용이 다양하다.

정시 오픈전까지 무료로
개방되는 듯 인스타그램으로
예약하란다.

코로나가 마무리되면
젊은이들의 쉼터로
크게 주목받을성싶다.

수돗물도 펑펑 쏟아지고
이동식 화장실도 눈에 띈다.

은여울산, 렉스빌 뒷산,
초평호, 미르산
2시간 만보 코스다.

혼자서 걸어 다니며
기억해둔
나만의 운동길이다.

숲길로 흙을 밟는 명품
오솔길이다.

코스를 더듬으며
최선을 다하자꾸나.
오늘도
넌
그중 하나를 다녀온 거다.

너무도 개운하다.

새순 돋는 봄날

벗나무에
새순이 보이는 봄날.

차가운듯한 봄바람에
봄소식을 전해주는 시기인 듯
여기저기 움트는 모습이
눈에 보인다.

은여울 오솔길에 들어서니
구름 한 점 없는 푸른 하늘이
오르는 길목에 있는
내 가슴을 활짝 열어젖힌다.

보폭을 넓히며
가쁜 숨 몰아쉬며
유산소운동을 해 나간다.

추위가 걷히고
봄바람 살살 부는 날씨에
방에서 뒹굴뒹굴하기엔
세월이 아깝지 않은가?

활짝 갠 봄날

산을 찾아 오르는 길
많이 힘들다.

후덥지근 미적지근한 날씨
언제 추웠느냐고?

퍽퍽한 다리 끌고 은여울
오솔길에 땀 흘리며
용을 쓰고 걷는다.

쉬고 또 쉬고….
왜 이렇게 오늘은 힘들까?

매서운 추위엔 움츠리며
걸으면서도
힘들지 않게 걸었는데….
날씨가 풀리니 몸이 무거워지는
계절 탓인가 싶다.

앞마당에서 쭈뼛대는
잡초를 향해 더는 안돼!
호되게 꾸짖으며
제초제 가루를 뿌려둔다.

풀과의 전쟁이 시작되는
3월이 다가선다.

코로나 예방백신도
가려가면서 접종하려는 듯,
노인들은
뒤로 밀려서 올해 말쯤
소식이 올 거 같다.

취약한 계층이니
모든 부분에서 뒷전에
처져가는 슬픈 인생이다.
병에 취약하니 어쩔 수 없으리라.

미호천 강변 얕은 물줄기엔
어린 오리들이 떼 지어
움직이며 먹이를 즐긴다.

뙤약볕 쏘이며
맑고 파란 하늘을 쳐다본다.

숲에서 쏟아지는
피톤치드 상큼한 공기 맛에,
자신을 달래가며
힘든 발걸음이지만
뚜벅뚜벅.

시골이 시골 같지 않고

문백면 소재지 농협에서
충북대 천문대까지 걷기를 했다.

포장도로를 따르며
차량을 피하며
코스를 잡아 걷다 보니
많이 위험하다.

오토바이며 외제 차가
속도를 내면서 공공의 골프장
화랑으로 달려가고
여기저기에 아파트분양
광고판 현수막이 즐비하다.

시골이 시골 같지를 않고
도회지를 옮겨놓은 듯
면 소재지에서 움직이는 이의
옷차림이 잔뜩 세련되어 보인다.

진천지역에 내 고장 사랑 지역 화폐를 처음으로
사용해본다.
농협에서 지역 화폐를 현금으로 매입하여
10%의 이득을 취하는 혜택을 처음 접했다.

새로운 등산길

집 뒷산을 등산 놀이터로
낫을 들고 추스르며 올라선다.

낙엽이 쌓여있고 덤불이
무성하여 미끄러지면서
계속 헤쳐나간다.

경사도가 70도는 되어 보여
많이 힘들었지만,
등성이에 올라서니 동물
발자국에 가지런한 평지다.

엉클어진 나무를 정리하며
내가 움직이는 길목을
완성한다.

오른쪽 등성이를 점령했으니
왼쪽으로 도는 길은 내일
진행하겠다.

힘들게 움직이며
등산로를
집주변으로 살피며

맑은 하늘 푸른 산에서
잔뜩 쌓인 낙엽과 함께한다.

무량사를 돌아서
아침 시간을 소비하고
내가 가는 길이 어디라도
늘 함께하는 율무다.

낙엽 밟으며 미끄러지면서도
내 주위를 맴도는 너,
외롭지 않아서 네 역할은
다한 거다.

쏜살같이 달려가서
우리 집에 나타난 커다란 개를
집주인 행세하며 몰아내고
올라선다.

한마디로 겁이 없다.
네가 사나운 줄 아는 거냐…?

읍내를 돌며 볼일 본 후
부족한 오늘 운동을
지네 모습의 농다리에서 충당한다.

네 재능을 찾아라

예순 넘어 나의 재능을
찾는 법이 아침마당에서
방영된다.

금융인으로 세상을 살아온
안창수 씨가 동양화가로
숨은 재능을 찾아간 애기다.

나이 들어 언어의 장벽을
뚫고 중국으로 유학 가서
어린 시절부터
하고 싶었던 동양화가의
꿈을 이룬 모습을 보여준다.

순간적으로 흰 소를 그려내더니
중국에서 수상한
호랑이 그림 독수리 그림이
수상작으로 보인다.

일본으로 또 유학 가서
수상한 작품
두 마리의 닭이 동양화로
그려진 모습이 엄청 부럽다.

자기의 숨은 재능을 찾아
끊임없이 노력하는 노익장의
인생 2막을 보면서
덤덤하게 살아가는 내 모습을
비교해본다.

넌 뭐 하고 사는 거냐고 되묻는다.

인간극장에선 62살의
여자 주택관리사가 7년을
공부하여 행정학 박사학위를
취득한 멋진 모습도 보여준다.

자기 계발엔 나이가 문제가
아니다.

본받고 싶은 여러 모습에
부러움을 금할 수가 없다.

내 주변에도
같은 직장을 그만둔 친구가,
서예의 대가가 되어 특선작가로
전국 장사씨름대회 장사에게
휘호로 수여하는 서예작품을 독점납품하며
용돈을 받는 멋진 모습도 있다.

코로나 예방접종

야단법석 중이다.

코로나 예방백신이 국민에게
접종되는 첫날이다.

정해진 규칙에 따라 의료인 중
코로나와 가까운 곳에서
일하는 65세 이내에서
1호 접종이 시행된단다.

65세 이상은 4월 이후에,
기저질환을 품고 있는 노인들은
어느 세월에 접종될지
추이를 살펴야 할성싶다.

정부의 고위관료와
대통령까지 접종현장에
모습을 나타내며,
홍보 및 주의사항을 일일이
열거하며 방송에 열을 올린다.

일 년여의 코로나 기간 중
숨죽이며 살아온 우리,

이젠 활개 치고 살게 될 것인지
사뭇 걱정스럽지만
예방백신과 치료제가 모두
출시되었으니
아마도 정상으로 돌아오리라
믿어본다.

나이 들고 기저질환 있는
시골 노인은 시키는 대로
질서 지키며,
혼자 생각하면서 산으로
들로 운동하며
살수밖에,
도리가 없는 거 같다.

엄청 맑고 깨끗한 날씨다.
미호천 강변에 흐르는 물줄기가
아예 초록빛이다.
물결치며 흐르는 모습,
오늘이 정월 대보름이니

불놀이하면 딱 좋은 강변이다만,
빨간 깃발 산불단속 차량의
호령에
불놀이는 사라진 지 오래다.

봄이 들어서니

꽃도 심고 나무도 심고
여기저기 준비해야 할 여러 곳이
눈에 보인다.

버드나무, 아카시아, 해송이
하늘을 뚫고 올라선 곳,
톱을 들고 베어내며
주변을 살피면서 오늘이
시작된다.

기계톱을 작동해야만
정리할 수가 있으니
이웃집 형님의 도움으로
서서히 모양을 잡아가는 중이다.

옥천 묘목 시장에서
배달된 묘목이 도착하여
빈 땅에 자리 잡으며
식목행사를 진행한다.

왕살구, 왕벚꽃, 거반도 복숭아,
엔부사과, 샤인메스켓 등
낯선 종자가 선물로 도착하니

식목하며 다짐한다.

내가 심은 과일나무
따 먹는 재미는 심어본 사람만
먹는 재미를 알리라.

키위, 포도, 사과, 복분자,
오디, 복숭아, 살구, 배나무,
흑자두는
열매와 꽃을 줄 것이고

왕벚꽃, 미선나무는 향기를
제공하며 주변을
맑게 조성해주리라.

식목일이 가까워져 오니
나무 시장을 둘러보고
어떤 수종을 가꿀 것인지
고민하는 고통(?)이
옆지기를 괴롭힐 거 같다.

바람 부는 날
산에 가는 대신 많은 일을
해대면서
오늘이 마감된다.

2월 말일이니

잿빛 구름이 잔뜩 낀
하늘을 바라보며
율무의 성화에 산으로
떠난다.

비대면 미사가
아름다운 감곡성당에서
청주교구 신부님 강론으로
평화방송을 통해 진행된다.

나무 심고 밭 정리하느라
어제 하루 쉬었더니,
의무를 다하지 못한 듯
내 마음이 어설프고 허전하여
오늘은 열심히 오른다.

2월 말일이니
올해 들어
벌써 2달이 지나간다.

세월은 쉼 없이 달리고
내 몸은 한없이 약해지는 기분
나만의 생각은 아닐 것이다.

축하의 글 I   귀농 시인의 4계절 시집 출간

아내 나영숙

30년 넘은 공직 생활을 명예롭게 마친 뒤 **진천 농다리** 시골집에서 자연과 함께하며 산 지 20여 년이 지났습니다. 힘든 도시 생활하며 가장(家長)의 무거운 짐을 지고 수고한 당신으로 인해 슬하의 2남 1녀를 잘 키워 결혼시킴에 만족하며 우리 건강을 살피면서 살아왔습니다.

농사짓고 운동하면서 그때그때의 모습을 글로 쓰시더니 귀농시인으로 불리게 되는군요. 축하드립니다.
코로나 19로 인해 모두가 어려운 시절인데도
꾸준히 자신을 재촉하며 늦추지 않은 건강관리로 내 곁을 지켜준 당신께 감사드립니다.
몇 년 후면 결혼 50주년입니다.
건강하고 행복한 삶으로
끝까지 함께하기를 기원합니다.

코로나 19시대 봄, 여름, 가을, 겨울 이야기로 4권을 출간하게 됨을 거듭 축하드립니다.

뿌듯합니다. 사랑합니다.

축하의 글 II　　　　　위담산방의 일상이 행복

김명원 박사(前 숭실대학교 대학원장)

오석원 시인. 호는 위담(謂譚). 1947년 전남 강진 출생으로 그는 나의 절친한 친구 중의 한 사람이다.

20여 년 전만 해도 그는 서울에서 꽤 잘 나가는 국세청 공무원이었다. 그런 그가 서울을 떠나 진천에 정착하기로 한 것은 그의 건강이 상당히 좋지 않았기 때문이었다.

남이 부러워하는 신의 직장을 명예퇴직하고 진천에 터를 잡아 지금까지 20년을 넘게 살고 있으니 진천은 그에게는 제2의 고향이나 다를 바 없다.

충북 진천군 문백면 은탄리, 무량사 부근의 나지막한 산 중턱 외딴 숲속에 자리 잡은 그의 처소는 마치 조용한 산장 같다. 친구들은 그곳을 그의 호를 따서 위담산방(謂譚山房)이라 이름 지었다.

진천으로 내려온 후, 그는 자연과 더불어 자연인으로 살고 있다. 산과 강을 만나고 나무와 꽃들과 얘기하며 비와 눈과 바람과 구름을 더불어 친구가 되었다. 그는 쉬지 않고 몸을 움직여 농사일과 운동을 한다. 물 맑고 공기 좋은 곳에서 직접 가꾼 무공해 농작물로 식생을 다스리니 건강이 절로 좋아지지 않을 수

없다. 지금 그의 건강은 완전히 회복되었다.

몇 해 전부터 그는 시골에서의 삶의 이야기를 글로 쓰기 시작하였다. 농사일하면서 주변을 산책하거나 이곳저곳을 여행하며 글을 쓰고 사진을 찍어 카톡방에 매일같이 올리곤 하더니 얼마 전에는 그 글과 사진들을 모아 시집을 만든다고 귀뜀하는가 싶더니 어느새 뚝딱 시집을 만들어 내놓았다.

그것도 계절 별로 4권의 시집을….

오석원 시인은 시에 관한 한 아직 아마추어다. 그가 시인이라 하니 너도나도 시를 쓰겠다고 덤빌 법도 하다. 그의 시어는 풋내가 나고 투박하다. 그의 문장은 세련됨도 없고 어떤 꾸밈도 없다. 우리의 가장 일상적인 언어로 그림 그리듯 그의 삶을 이야기하듯 써 내려 간다. 그래서 우리는 그의 시에서 더욱 인간적인 정감을 느낀다. 그것은 마치 동양화의 여백과 같은 순수함과 여유를 준다. 시를 대하는 우리의 마음이 편하다. 이른바 기교가 없는 기교라 할까?

그는 겸손하고 인정이 많고 남에게 베풀기를 기뻐하는 사람이다. 어렸을 적 찢어지는 궁핍을 그가 직접 몸으로 체험했기 때문이리라. 그의 궁핍에 대하여는 어느 정도 짐작은 하였으나 그가 타고난 명석함으로 시골에서 초·중학교를 나와 광주의 최고 명문 고등학교에 합격하였으나 형편이 어려워 어쩔 수 없이 시에서 운영하는 한 보호시설에서 숙식하며 학업을 계속할 수밖에 없었다고 한다. 그의 이 눈물겨운 얘기를 듣고는 눈시울을 붉히지 않을 수 없었다.

그는 이제 넉넉히 베풀 만큼 재력도 갖추었다. 자녀들도 다 훌륭히 키워 각자의 분야에서 열심히 일하고 있다. 이쯤이면 그의 인생은 족히 성공적이라고 할 수 있으리라.

오석원 시인을 생각하면 귀거래사(歸去來辭)가 떠오른다. 도연명이 중년의 나이가 되어 가족과 고향 집이 그리워 현령의 관직을 버리고 "돌아가야지! (歸去來兮)"라고 외친다.

"농부가 봄이 왔음을 일러주면 서쪽 밭에 나가 밭을 갈리라. (農人告余以春及 將有事於西疇)...

동쪽 언덕에 올라 조용히 읊조리고 맑은 시냇가에서 시를 지으리라. (登東皐以舒嘯 臨淸流以賦詩)... "

시골에 사는 오석원 시인의 자연살이는 계속될 것이다. 그리고 그는 자기 삶에 대한 글을 계속 써 나갈 것이다. 이 시집이 자연과 더불어 한 그의 진솔한 삶의 이야기를 나누는 귀한 통로가 되기를 기대한다.

편집자(編輯者)의 말   희망을 품은 겨울 이야기

귀농 시인 오석원 님은 30년이 넘게 국세 행정 전문가로 살다가 지병 때문에 아무 연고도 없이 살기 좋은 생거진천 농다리 길로 24년 전 귀거래(歸去來)했다.

자연을 벗 삼고 맑은 물 좋은 공기 속에서 행복하게 살며 2남 1녀를 모두 성혼(成婚)시키고 의사, 약사, 공기업 임직원으로 이끌어 부모의 소임을 훌륭하게 감당했다.

삶에서 감사(感謝)를 잃지 않고 늘 깨끗한 사랑의 눈으로 보는 세상 이야기는 하루하루가 그대로 시가 되었다.

특히 2020년 코로나 19로. 전 세계가 심히 어려운 상황에서 일상의 소중함을 깨닫기에, 진달래 출판사에서 시인(詩人)의 2020년 12월과 올해 2월까지의 겨울 이야기를 담아 코로나 19와 함께한 잔잔한 행복을 서로 나누고자 개정판 시집(詩集)을 마련했다.

책으로 내도록 허락하고 도와주신 시인에게 감사드리며. 늘 건강하고 행복이 넘치길 소망한다.

2021년 5월에

진달래 출판사 대표 오태영(시인, 작가)